Система дальнейшего энергоинформационного развития (ДЭИР)

Эта книга научит тебя управлять судьбой

Дмитрий Верищагин

УВЕРЕННОСТЬ

Система дальнейшего
энергоинформационного развития

V ступень
первый этап

Санкт-Петербург
Издательство «Невский проспект»
2000

ББК 53.54
В 26
УДК 615.83

Верищагин Д. С.

В 26   Уверенность: Система дальнейшего энергоинформационного развития, V ступень, первый этап. — СПб.: «Невский проспект», 2000. — 189 с. (Сер.: Система ДЭИР)
ISBN 5-8378-0082-4

Новая книга Дмитрия Верищагина вводит читателей на пятую
ступень системы ДЭИР (Дальнейшего энергоинформационного развития) — целостной системы достижения гармонии и здоровья,
основанной на методиках сознательного управления энергетическими потоками.

Автор учит видеть закономерности, управляющие всеми событиями окружающей жизни, понимать тенденции Мирового Потока,
открывать закрытые пути, а значит, уверенно управлять своей судьбой.

ISBN 5-8378-0082-4

Общее напутствие

Открывая эту книгу, вы получаете шанс навсегда изменить свою жизнь, вступив на новую ступень эволюции. Вам откроются истинные причины здоровья, болезни, поступков и человеческой судьбы.

Вы станете свободными от влияния великих энергетических паразитов, правящих остальными людьми и толкающих их на самоубийственные поступки. Помните, что вы не должны причинять непродвинувшимся людям вреда. Отнеситесь к ним со вниманием и помогите.

Для вас будут доступны вещи, немыслимые для обычных людей. Не растрачивайте свои силы понапрасну в погоне за суетными достижениями. У вас великая цель — открытие нового мира и поиск своего места в нем.

Вы обретете способность исцелять, и этот дар придет к каждому своим путем. Употребите его во благо. Помогайте бескорыстно.

Ваша душа пройдет процесс укрепления, и вы сможете вести за собой других людей. Принесите им свет и радость, а не тьму и боль.

Вы перестанете зависеть от кармы и кармических болезней. Помогите достигнуть того же другим.

Вы будете владеть истинным инструментом изменения мира — верой. Пусть ваша вера принесет добро не только вам.

Чтобы пройти весь путь до конца, вам может потребоваться помощь. Обретите ее в таких же, как вы, путниках. Узнавайте друг друга в толпе. Учитесь друг у друга. Помните друг друга.

Взойдя на новую ступень развития, вы будете частью нового энергетического единства, единства свободных людей. Оказывайте друг другу поддержку. Помните друг о друге и делитесь друг с другом энергией, потому что цена свободы велика и подчас не под силу одному.

Помните о нас, кто первыми вступили в новый мир. Мы фокусируем новое энергетическое единство для вас. Обращайтесь к нам в трудную минуту, и мы придем на помощь. Обращайтесь к нам в минуту благоденствия, и мы сможем прийти на помощь миллионам других. Смерти нет. Мы отзовемся и из-за грани.

Ощутите связь со мной, автором этих строк. Я жду этого. Просите о помощи и помогайте мне.

Прибавьте к свету нового энергетического единства свои лучи.

Создайте новое свободное человечество. Вы заслуживаете этого.

Прикосновение к Высшему

Я снова приветствую вас, уважаемые читатели. Мы долго ждали этой встречи — и вот она состоялась. Мы снова вместе. Впрочем, изучив четыре предыдущие ступени системы ДЭИР, вы понимаете, что вместе мы не только тогда, когда общаемся посредством книги. Мы непрерывно ощущаем энергетическую поддержку друг друга, когда это необходимо.

Вы последовательно и настойчиво идете по пути освобождения, по пути овладения новыми возможностями — а многие посещают курсы по практическому освоению системы ДЭИР. Вы достойны уважения и благодарности. Вы медленно, но уже весьма ощутимо меняете судьбы мира.

Ростки этих изменений уже прорастают то тут, то там. Внешне мир пока меняется мало. Но на тонком плане изменения есть, и вполне реальные. Они появились благодаря вам. Вы взрастили эти ростки в самих себе, внутри души и сознания, — и они начали тянуться вверх, развиваться, менять мир вокруг вас. Спасибо вам.

Я благодарю вас за те письма, которые вы мне присылаете. Я благодарю за ваше нетерпение в ожидании новой, пятой книги.

Сейчас время этой книги пришло. Ситуация для ее появления созрела. Созрели и вы, мои читатели и последователи. Вы готовы продолжить путь? Я знаю, что готовы. Тогда — вперед! И да будет с нами Бог.

А тем, кто впервые встретился с системой Дальнейшего Энергоинформационного Развития лишь на страницах этой книги, я настоятельно рекомендую обратиться к книгам предыдущим — «Освобождение», «Становление», «Влияние», «Зрелость». Без прочтения их, без освоения методик, изложенных в них, вам будет трудно разобраться с материалом этой книги и вы можете нечаянно неправильно применить методики — а это уже чревато неприятностями.

Что же это за пятая ступень? Я знаю, этот вопрос интересует вас. Ведь, казалось бы, все, что можно, мы уже сделали. Мы вышли на новую эволюционную ступень. Как говорится, чего же боле? О чем еще мечтать?

И все же большинство из нас чувствуют: это еще не все, еще не конец пути. Еще чего-то не хватает... И может быть, самого важного. Важного для того, чтобы идти дальше по жизни самостоятельно, свободно, раскованно, радостно, идти вечно, и не сбиваться с пути, и не искать поддержки других людей, и быть уверенным, счастливым и единым с миром, когда вся Вселенная с любовью распахивается тебе навстречу и помогает тебе, поддерживает тебя, радуется тебе и раскрывает перед тобой все свои дороги, которые так и стелются тебе под ноги...

Чего же нам не хватает? Не хватает постижения законов, знать которые необходимо личности, уже преодолевшей барьеры эволюционного развития человека и ограничения физического тела обычного человека.

Пятая ступень целиком посвящена вопросам взаимодействия такой личности с окружающим нас миром — как миром живой и неживой природы, так и миром Высших Сил.

Вы увидите, что между этими мирами нет разделения. Они на самом деле едины. Потому что мир во всех его проявлениях постоянно подчиняется закономерностям высшего порядка. А потому, говоря о «неживой природе», мы скорее просто следуем традиции, потому что по сути это выражение неправильно. Нет неживой природы! Все вокруг, в том числе и так называемые неживые предметы, на самом деле живет, постоянно изменяясь, взаимодействуя друг с другом, включаясь в единый, целостный процесс жизни Вселенной, где все закономерно, где нет случайностей. Нет случайностей — есть законы. Законы, по которым живет, дышит, изменяется, включается в различные процессы весь окружающий нас мир. Неподготовленный человек не способен увидеть эти закономерности — он видит лишь беспорядочный и, как ему кажется, бессмысленный набор случайностей. Подготовленный человек способен не только воспринять одномоментно закономерности всех жизненных процессов всего живого организма Вселенной, но и воздействовать на эти процессы. Любой, каждый из нас способен влиять на так называемые случайности и при надобности обращать их к своей пользе. Мы можем даже больше — мы можем вызывать в мир желательные для нас события. Причем мы сделаем это, не нарушая законов мира — тех объективных законов, по которым существует Вселенная. Мы сделаем это, умело вписавшись в эти законы. Мы сделаем это во благо миру, а не во вред ему.

Мы можем обходить препятствия, распознав их еще до возникновения, прочитав информацию из будущего. Для этого нам даже не надо делать это на уровне сознания — эту информацию у подготовленного человека считывает подсознание и само отводит человека от препятствия, без его волевых усилий. Подсознание знает, каким курсом нам надо двигаться, чтобы наш путь привел нас к цели, пролегая среди так и не успевших возникнуть препятствий. Мы можем менять вероятность событий вокруг нас.

Вы уже сейчас можете это, хоть, может быть, сами даже еще и не догадываетесь об этом. Еще чуть-чуть, и вы сумеете сделать это на практике. В постижении этих возможностей, в частности, и состоит пятая ступень. Поверьте, для вас это просто, очень просто. И тогда все получится легко и радостно.

Но пятая ступень, если рассматривать ее целиком, гораздо шире. Она включает в себя опыт взаимодействия с Мировыми Течениями — выход на взаимодействие с Высшими Силами — с Богом.

В этой книге гораздо меньше внимания уделено энергетическим взаимодействиям, энергетическим методам преобразования себя. Мы сталкиваемся теперь с намного более тонкими слоями нашего мира и самих себя — высшими слоями сверхтонкой информации. Энергетические методы остались далеко внизу. Пришло время освоения высшего пилотажа.

Все это вместе составляет достаточно большой объем информации. Поэтому пятую ступень мы разделим на два этапа. И книга, которую вы держите сейчас в руках, посвящена первому этапу освоения пятой ступени ДЭИР.

Но — обо всем по порядку. Все-таки мы с вами довольно-таки долго не встречались на страницах книги. А потому для вхождения в пятую ступень потребуется некоторая раскачка, настрой на продолжение работы с одновременным закреплением и осознанием пройденного на новом этапе развития. А этот новый этап для вас уже пришел — вы утвердились в нем за время, прошедшее после выхода четвертой книги. Именно для вашего закрепления на этом этапе и нужен был этот перерыв.

Но теперь пришла пора вспомнить все и снова отправиться в путь. Итак, за работу. Освежаем в памяти теорию.

Глава 1

Свобода, удача, влияние и зрелость

ПРЕДПОСЫЛКИ НОВОГО ЭТАПА ЭВОЛЮЦИИ ЧЕЛОВЕКА

В настоящее время человечество подошло к критической фазе своего развития. Мир откровенно перенаселен. Пора уже признаться в этом, какими бы антигуманными кому-нибудь ни показались подобные выводы. Но факт остается фактом.

Уничтожаются невосполнимые природные ресурсы. Природе наносится непоправимый урон. Земля стонет под агрессивным натиском человечества. Кажется, нет уже ни одного дикого уголка природы, не оскверненного грубым вторжением того, кто еще недавно называл себя ее хозяином. Этот «хозяин» оказался до крайности неразумным. Он осквернил и запакостил святая святых — свой дом, свою землю, без которой он и сам не в состоянии прожить.

Кажется, еще немного, еще чуть-чуть — и земля, устав терпеть грубую поступь сеющего вокруг себя грязь и разруху «хозяина», попросту скинет его куда-нибудь подальше, в небытие, и наконец вздохнет свободно...

Наша с вами задача — не оказаться в числе тех, кто будет скинут, сброшен измученной Землей со своей поверхности. И мы уже достаточно много сделали для того, чтобы избежать сей печальной участи. А в том, что очень многие будут-таки сброшены, сомневаться не приходится. И если вы поняли смысл происходящих сейчас во всем мире катастроф, то уже догадываетесь, что процесс этот начался.

Это неотвратимо. И закономерно. Человечество дошло в своем развитии до полного абсурда. Оно начало буквально сжирать само себя. В самом деле, с какими препятствиями, трудностями, барьерами мы чаще всего встречаемся на своем жизненном пути? С теми, что созданы самой природой или, к примеру, вмешательством инопланетян? Конечно нет. Основные житейские трудности связаны только с барьерами, созданными самим человеческим сообществом.

Представьте себе, что вы решили обосноваться с семьей где-нибудь на природе, уехав из пыльного города насовсем, — построить небольшой домик где-нибудь в тихой симпатичной деревне, наладить жизнь так, чтобы хватало и еды, и питья, и тепла для детей и близких. Возможно это? Теоретически — да. Теоретически — нет ничего проще и ничего естественнее! Построить себе дом — да с этой задачей запросто справлялись поколения и поколения наших предков!

Но... В том-то все и дело, что в наше время откуда ни возьмись вылезли, как тараканы из щелей, десятки и сотни этих мелких и мерзких «но».

Построить дом? А стоимость земли? А стройматериалов? А налоги? А где я буду работать? И на что вообще мы будем жить?

И так до бесконечности. В итоге вы, помечтав на диване о домике в деревне, остаетесь коротать век в опостылевшем городе, в казенной панельной многоэтажке.

Между тем еще каких-то сто с небольшим лет назад подобных проблем и в помине не было. Это, в общем-то, иллюзия — что с тех пор жизнь стала лучше, жизнь стала веселее и вообще свободнее и счастливее. Это заблуждение, которое нам с детства настойчиво вконопачивали в мозги насквозь идеологизированные учебники истории.

Не будем касаться глобальных исторических событий — сравним, как жил простой человек в России в середине XIX века и как он живет сейчас. Сделаем это объективно и беспристрастно, отбросив представления, почерпнутые из учебников выхолощенной истории.

Все мы помним, что в 1861 году в России было отменено крепостное право, и все мы привыкли считать, что это был шаг к прогрессу, к свободе, к новой прекрасной жизни.

Однако посмотрим, как жил крепостной крестьянин, которого принято жалеть, считать несчастным нищим рабом.

Этот «несчастный раб» имел собственный дом и надел земли. Он жил как полноценный человек, имел семью — как правило, немалую. А за дом и землю платил барину всего лишь одной десятой частью урожая — десятиной. Кроме того, он был обязан работать на барских полях (барщина) и один раз в год совершить приношение хозяину продуктами и деньгами (оброк).

К свадьбе его взрослых детей вся деревня помогала строить для них дом. Древесина для строительства добывалась в близлежащем лесу, а дом ставили в деревне. И никому, заметьте, не приходило в голову, что за стройматериалы и за землю надо платить.

Излишки урожая, выращенного на собственном земельном наделе, крестьянин мог отвезти на базар, там продать или поменять их на необходимые ему вещи. При достаточном уровне дохода, полученного таким образом, появлялась реальная перспектива выкупа на волю. При этом опять же никому не приходило в голову, что часть средств он должен отдать чужим дядям в виде налога.

И это — жизнь крепостного крестьянина, которая все же не может служить идеалом, так как отсутствие свободы есть отсутствие свободы. Вольные слои населения, соответственно, имели больше прав и возможностей. Однако, как мы знаем, и крепостные крестьяне очень часто отнюдь не рвались на волю. Их вполне устраивала жизнь «под крылом» барина. Да и барин, как мы теперь знаем, далеко не всегда был лютым зверем, как его изображали в поучительных книжках нашего детства. Чаще всего это был вполне нормальный человек.

А теперь сравните с жизнью крепостного крестьянина жизнь современного человека. Ну как, в чью пользу сравнение? Не хочется ли обратно, туда, в это самое крепостничество?

Если разобраться, современный человек по сути является крепостным в гораздо большей степени. Он вынужден работать не менее восьми часов в день. Он вынужден отдавать государству весьма приличную часть своего заработка (подоходный налог плюс взнос в Пенсионный фонд плюс социальное страхование и прочее). К тому же часть средств государству выплачивает еще и работодатель, из-за чего повышается стоимость его продукции и растут цены на рынке, и реальная стоимость зарплаты становится еще меньше.

Жилье в наше время стоит столько, что его цена значительно превышает размер заработка. Поэтому в тесной квартирке зачастую ютится две-три семьи. (Куда нам до отдельного собственного дома несчастного крепостного крестьянина!) А в старости человек, хоть он всю жизнь исправно платил налоги, может рассчитывать лишь на собственные скромные сбережения да на помощь детей, которые тоже из последних сил тянут свою лямку.

Кроме того, изменилось и соотношение цен. Так, к примеру, если в прошлом веке в России на серебряный рубль можно было купить продуктов на всю семью на целый месяц — то сейчас на соответствующую сумму вы приобретете разве что 4—5 килограммов мяса. На промышленные товары цены поднялись меньше. Это свидетельствует о еще одном грозном симптоме — иссякают пищевые ресурсы. С едой дело у нас сейчас обстоит значительно хуже, чем у наших предков. Они питались по-настоящему полезной пищей, здоровой, натуральной, экологически чистой. Мы же вынуждены перебиваться химией, синтетикой.

Не думайте, что так плачевно положение дел только в России. Так — во всем мире, с незначительными вариациями. Учтите, что в некоторых странах государство вообще не гарантирует человеку в старости даже такой минимальной пенсии, которую выплачивают нашим старикам! Так что нам еще в какой-то мере повезло.

Итак, в какую же сторону отличается нынешнее положение от того, что было до 1861 года?

Не думайте, что виновато правительство, политика, власть, не сумевшая создать нам нормальных условий жизни. Нет, дело не в этом, это лишь следствие, а не причина.

Причина же столь неутешительного положения дел лежит гораздо глубже.

Она в том, что социум дорос до уродливых, монстроподобных форм и начал пожирать своих членов — рядовых людей. В сущности, пожирать сам себя. Это признак вырождения, признак того, что монстр-социум себя изжил.

А ведь когда-то социум родился именно для блага людей, для обеспечения им большего комфорта и безопасности. Люди создали рыночное хозяйство, чтобы обмениваться продуктами производства. Люди построили города, чтобы обеспечить себе безопасность. Социум служил человеку.

Теперь все наоборот. Человек служит социуму. Получается, что человек рождается и живет для того, чтобы работать на государство, служить в армии, платить налоги... Он является сырьем для существования социума. Человеку некуда деваться от всего этого, ему невозможно спрятаться, скрыться от общества, налагающего на него непосильное бремя. Помните предреволюционное положение с компаниями, где рабочие вынуждены были трудиться, платить штрафы, покупать необходимое в лавочке, которую содержит хозяин (втридорога в счет зарплаты), и так далее, от чего долг его только возрастал. Это была мечта фабриканта. А сегодня? Эти мечты сбылись. Социум поработил своих членов. Человек стал просто ресурсом для существования социума — и, словно в концлагере, вскоре всем станут присваивать номера. Если и дальше процесс будет продолжаться в том же духе, то человек станет просто безликим и бесправным придатком безобразного социального монстра, бесполым муравьем, клеткой гигантской опухоли, разъедающей тело Земли.

Этот процесс рано или поздно должен быть прекращен. Потому что перед нами стоит выбор — по-прежнему идти путем индивидуальной эволюции или быть подчиненным, растворенным в возникающем сообществе, до боли напоминающем сообщества общественных насекомых. Ведь не зря некоторые биологи считают, что в случае с муравейником или роем мы имеем дело даже не с сообществом, а с единым организмом.

А сейчас мы все выбираем: быть частью опухоли, которая вот-вот нас сожрет, или освободиться от власти монстра и начать жить самостоятельно.

Рис. 1. Заполнение социумом ограниченной экологической ниши

Выживет в прежнем качестве тот, кто сделал этот выбор в пользу индивидуального будущего, будущего, предназначенного Создателем. Именно в этом суть предстоящего эволюционного скачка. Уйдет старое, отжившее, больное, паразитирующее на здоровом. Останется здоровое, обновленное, светлое.

Но зачем я вам это говорю? Ведь для вас, как и для множества других людей, изучающих систему ДЭИР, кабальное положение обычного человека — этап давно пройденный.

Система Дальнейшего Энергоинформационного Развития дает нам как раз необходимый шанс, выводя человека на ту грань, за которой механизмы, принуждающие человека, перестают действовать.

Вы уже сделали этот выбор, мои дорогие читатели. Вы уже осуществили переход на новый уровень. Вы уже знаете, что путь перехода на новый уровень состоит в том, чтобы освободиться от смирительной рубашки, перестать плясать под дудку социума и ублажать его, чтобы разрушить незримые узы, сковавшие по рукам и ногам человека — такое свободолюбивое и разумное от природы существо.

И теперь мы готовы идти дальше, к открытию новых горизонтов, к обретению власти над обстоятельствами и контакта с высшими сферами. Но сначала, как водится перед дальней дорогой, полезно бросить взгляд на пройденный путь.

НАЧАЛЬНЫЕ ЭТАПЫ СИСТЕМЫ ДЭИР: ОТ СВОБОДЫ — К ЗРЕЛОСТИ

Дело в том, что человечество порабощено гигантскими энергоинформационными структурами, являющимися побочным продуктом существования людей, — энергоинформационными паразитами. Эти энергоинформационные паразиты незримо контролируют каждого члена человеческого сообщества. Они, как ведьмины круги, глубоко врастающие грибницей в почву, проникают невидимыми энергетическими щупальцами в сознание людей.

Энергоинформационные паразиты — это то, что еще иногда называют эгрегорами. Каждое сообщество людей, живущее общими идеями, создает эгрегор — энергоинформационную структуру с соответствующими свойствами. Большая группа людей, думая об одном, волей-неволей создает на энергетическом плане энергоинформационную паразитическую структуру. Эта структура ничего вроде бы и не делает — она просто существует, питаясь человеческой энергетикой, подминая под себя все новых и новых людей, разрастаясь и набирая силу. И новые люди, подпавшие под влияние этой структуры (а для этого достаточно подсознательно вовлечься в соответствующее направление), приобретают убеждения и мысли, характерные для этого эгрегора, для тех людей, кто изначально его и создал. Вот так уже сам эгрегор начинает управлять людьми.

Есть эгрегор коммунизма. Именно оттуда берут силы люди, зачастую уже преклонного возраста, митингующие с красными флагами и портретами прошлых и нынешних «вождей».

Есть эгрегор войны. Он превращает людей в пушечное мясо, используя их для своих целей.

Есть эгрегор революции. К чему привел его рост, мы знаем. Мы все имеем прочувствованный на собственном опыте великолепный пример возникновения, расцвета и гибели революции в России. Прекрасно знаем, как воодушевление классовой борьбой привело и к невинной крови, и к массовому террору, и к проявлениям народного героизма... А в конечном итоге все это добром не кончилось ни для кого — включая самих большевиков. Впрочем, кое-кто в выигрыше

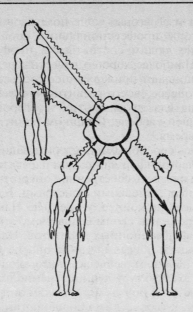

Рис. 2. Энергоинформационный паразит, похожий на медузу, держит на поводках тысячи и тысячи людей, получая от одних — программы, от других — энергию Земли и используя в своих целях всех без исключения

все же остался. А именно: сам энергоинформационный паразит, вволю попивший человеческой крови и много лет успешно «руливший» сознанием миллионов людей.

И так далее. Энергоинформационных паразитов множество, как и множество самых разнообразных идей, «витающих в воздухе». Кстати, какой великолепный словесный оборот (про идеи, витающие в воздухе), не правда ли? Ведь он полностью отражает реальное положение дел с паразитическими энергоинформационными структурами.

Из-за влияния этих структур люди до семидесяти процентов времени своей жизни тратят не на себя, не для достижения своих истинных целей, а на нечто совсем им на самом деле ненужное — просто вскармливают своей энергией разрастающихся энергоинформационных паразитов. В итоге эти паразиты несут людям только горе и страдание.

Существуют и эгрегоры, чаще помогающие людям, — к примеру, эгрегоры профессиональных сообществ людей, способствующие людям состояться в профессиональной деятельности. Наиболее хорошо известны религиозные эгрегоры, они защищают приверженцев соответствующей религии. Но в процессе своего развития человеку желательно выходить из-под власти даже этих эгрегоров, чтобы идти дальше, к большей свободе. Слишком политизированы религии в наше время.

Мы оказались способными построить защиту, прерывающую влияние энергоинформационных паразитических структур. Мы смогли овладеть собственной энергетикой, перестав делиться ею с энергетическими монстрами. Благодаря этому мы стали сильнее, спокойнее, увереннее. Нам удалось восстановить контроль над своим сознанием, отняв власть над ним у энергоинформационных паразитов. Наше окружение организовано таким образом, чтобы оно не создавало нам препятствий, а наоборот, всячески помогало нам. Мы объединили в единую структуру душу, сознание и эфирное тело, что дало нам доступ к новым источникам энергии, к интуитивным данным, к творческим способностям.

Все это вывело нас на новый эволюционный этап развития, тогда как большинство окружающих нас людей осталось на предыдущем этапе.

И теперь мы готовы идти дальше, к новым горизонтам. К обретению власти над обстоятельствами и контакту с высшими сферами. Мы вышли на новый уровень осмысления.

Прежде всего мы с вами сумели достичь Свободы

Это был совершенно необходимый этап эволюционного развития, потому что люди в процессе развития цивилизации свою свободу утратили. Современное человечество внутренне несвободно.

Большинство людей не понимают, как они несвободны. Они кричат о своей мнимой свободе на каждом углу. Они не знают, что осознать степень этой несвободы можно, только освободившись по-настоящему.

Пока человек несвободен, он не понимает, что он несвободен.

Как же нам все-таки удалось освободиться и осознать степень несвободы остального человечества? Очень просто, естественно и при этом неизбежно. Осмыслим основные вехи процесса.

До прохождения первой ступени ДЭИР мы очень часто встречали в своей жизни идею, понятие или предмет, которые по необъяснимым причинам казались нам необыкновенно интересными и интригующими. Но прошло время, интерес поостыл, а потом и вовсе пропал. Еще через некоторое время мы и сами изумляемся: и как это мы могли заниматься подобной ерундой? Самое интересное, что, как потом выясняется, именно в это же самое время этим же самым предметом интересовалось и множество наших знакомых. Они, так же как и вы, необъяснимо воспылали интересом к этому предмету, а затем так же стремительно охладели. Вспомните хотя бы вспышки массового интереса то к «гербалайфу», то к аэробике, то к лечебному голоданию, то к увлечению диетами... Да мало ли еще массовых «психозов», вдруг овладевающих сознанием больших групп людей.

Вот это и есть влияние энергоинформационных паразитов.

Именно это влияние заставило вас потерять время, потратить деньги на то, что вам совсем не нужно, и отнять это время и эти деньги от собственной семьи и собственной жизни.

И это еще самые щадящие и безобидные варианты. А что, если влияние энергоинформационного паразита заставит неразумную мать отправить своего сына на очередную войну? Да, война принесет много денег представителям власти воюющих стран. Война принесет много пищи энергоинформационному паразиту. А у несчастной матери она лишь отнимет сына, которого уже никто и ничто не вернет.

Любой разумный человек понимает опасность, кроющуюся для нас в существовании энергоинформационных паразитов. Система ДЭИР показала всем уязвимое место этих паразитов. Их уязвимое место в том, что они замыкаются на чакры человека. Если мы знаем, как именно подключаются к нам энергоинформационные паразиты, значит, мы легко можем понять, как именно их отключить.

Отключив энергоинформационных паразитов от своих чакр, мы исключили себя из той энергетической паутины, которой они оплетают миллионы и миллионы людей. А исключив себя из этой паутины, мы открыли себе сознательный доступ к единственно нормальным и самым естественным для человека источникам энергии — энергии Земли и энергии Космоса, поступающим в человеческое тело посредством центральных энергетических потоков, проходящих в энергетической структуре человека вдоль позвоночника.

Для того чтобы сделать это, мы замкнули свои чакры, создав защитную оболочку вокруг своего тела, которая надежно отгораживает нас от щупальцев энергоинформационных паразитов. Таким образом мы стали свободными. Таким образом мы достигли внутреннего покоя. Таким образом мы вышли к совершенно новому миропониманию.

С этого момента для нас перестали существовать такие грозные враги, как сглазы, порчи и прочие энергоинформационные поражения. Мы попросту переросли их.

Замкнуть энергетическую оболочку было, конечно, не так просто — для этого требовалось развить у себя множество навыков. Таких, как ощущение поля, видение ауры, вхождение в гармонизирующее, эталонное состояние, способность ощущать центральные потоки и управлять ими. Нам нужно было не просто представить себе все это в виде каких-то образов, не просто понять на уровне логики, а именно найти в своих собственных ощущениях, поднять на поверхность сознания глубинный пласт ощущения — так что это было действительно непросто.

Мы научились всему этому. Для вас, тех, кто освоил материал предыдущих четырех книг, все трудности уже позади. Вы стали свободными и независимыми. Вы стали более сильными и вместе с тем более чуткими, более восприимчивыми, чем остальные люди. А прошедшие очные курсы получили в свое распоряжение специальные объекты, позволяющие получать огромную по силе энергетическую поддержку. Вы вырвались из щупальцев энергоинформационных паразитов и этим стали отличаться от подавляющего большинства людей.

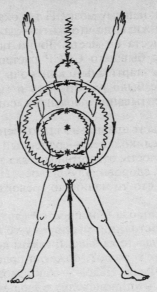

Рис. 3. Благодаря оболочке вы свободны от воздействий извне.
Над вами не властны энергоинформационные паразиты.
Вы стали вольными. Вы восстановите здоровье

Итак, мы вступили на новый эволюционный этап, завоевав ценнейший на свете дар — свободу.

И дальше перед нами раскинулась новая дорога. На этой новой дороге предстояло научиться добиваться всего самому, не ожидая поддержки от общества (читай: энергоинформационных паразитов). Этот этап подробно описан в книге «Становление».

При переходе к этому этапу мы вновь столкнулись с трудностями. Ведь оказалось, что нам, людям, ставшим свободными, вышедшим из-под неусыпного надзора паразитических структур, очень и очень не хватает самостоятельности. Самой обыкновенной самостоятельности, которой, как мы думали раньше, мы сполна научились еще в детстве.

Но не тут-то было. Мы избавились от незримого контроля энергоинформационных паразитов, от их щупальцев, подключенных к нашим чакрам, и их идей, как провода,

подключенных к нашему мозгу. И тут оказалось, что без этого мы не умеем жить, да что жить — даже элементарно передвигаться с места на место. Точно так же, как большая
часть населения бывшего СССР растерялась, когда исчез
«ненавязчивый» партийный контроль за всеми сферами
жизни, — так же было растерялись и мы, лишившись постоянного нашептывания паразитов, сопутствовавших нам
с детства.

А ведь результат правильно выполненного первого этапа
поначалу был великолепен — душевный комфорт, эмоцио-
нальная стабильность, отсутствие страха за будущее. Тело на-
бирало энергию, здоровье улучшалось. Но на этом прекрас-
ном фоне вдруг что-то начинало тревожить любого думаю-
щего человека.

Оказалось, свобода — непростой дар. Пребывая в отлич-
ном душевном состоянии, мы почему-то никак не могли начать двигаться куда-то дальше. В самом деле, а чего двигать-
ся-то, когда и так хорошо? Может, и правда, не надо?

Нет. «Надо, Федя. Надо!» — как говорил известный ки-
ногерой. Знаете, что происходит с людьми в странах с изо-
билием и полным благополучием? Правильно: сплошная
наркомания и самоубийства. Что происходит со странами,
купающимися в природном изобилии? Они так и не разви-
ваются, оставаясь «банановыми республиками». Почему? Да
потому что природа и так все давала, беспокоиться было, казалось бы, и ни к чему. Им и так было хорошо! И вот печальный результат.

Вам хочется стать такой нищей «банановой республи-
кой», которая, имея огромный многообещающий потенциал,
так и осталась никем и ничем? Нет? Значит, надо развиваться дальше. Надо, даже если нет к этому таких необходимых
для большинства людей стимулов, как страх, неуверенность
в завтрашнем дне, необходимость защищаться. Всего этого
нам больше не нашептывают энергоинформационные паразиты. Значит, надо было учиться развиваться без их поддержки, будучи свободным, не подталкиваемым страхом к развитию, а выбравшим путь развития осознанно, свободно и добровольно.

Если вы посещаете курсы, то знаете, что между первой
и второй ступенями обязательно должно пройти три неде-

ли — это необходимо, чтобы привыкнуть жить в новом для вас мире. И в эти три недели думающий читатель и ученик разглядел опасность погибнуть от комфортного безделья — и осознал необходимость двигаться дальше, словно Одиссей, бежавший из страны людей, в сладостном блаженстве наслаждающихся поеданием лотоса.

Так вы пришли к необходимости второй ступени Дальнейшего Энергоинформационного Развития.

На втором этапе мы достигли Управления Собой — Становления

Пути овладения этим искусством как раз и раскрыты в книге «Становление» — второй книге системы ДЭИР.

Мы с вами рука об руку прошли и эту стадию. Вспомните: она состояла из четырех этапов.

Этап первый: нам нужно было завладеть удачей и везением, которые прежде поставлялись непосредственно в наше подсознание от энергоинформационных паразитов. Естественно, тогда, когда это было выгодно энергоинформационному паразиту, а не нам. Тогда мы совершали какие-то действия и принимали какие-то решения, руководствуясь неясными нам самим импульсами подсознания, потому что именно оно первым получало сигнал от энергоинформационных паразитов.

Приведу в качестве примера историю из жизни моей семьи. В данном случае эта история является очень наглядной иллюстрацией данного положения дел.

Во времена нашей с сестрой юности, когда сестра только перешла в 9-й класс средней школы, с ней начало неожиданно твориться что-то странное. Впрочем, процесс этот весьма характерен для юных девушек переходного возраста. Прежде живая, активная, жизнерадостная девочка, она вдруг загрустила, стала молчаливой и задумчивой и даже перестала читать книги — а ведь раньше ее, бывало, от книжки не оторвешь. Некоторое время она пребывала в таком состоянии, чем весьма беспокоила родителей: уж не случилось ли с ребенком чего плохого? Сестра на вопросы не отвечала, только молчала и смотрела в пол.

Но через некоторое время в ее состоянии вдруг произошла резкая и опять же необъяснимая перемена. Она начала активно заниматься комсомольской работой в школе. Снова ожила, повеселела, стала уверенной в себе — правда, появились в ее голосе какие-то неприятные безапелляционные нотки, а в поступи — какая-то танковая броненосность. Но родители немного успокоились: это все же лучше, чем непонятного происхождения черная меланхолия.

Тем временем сестра настолько глубоко, что называется, ушла с головой в комсомольскую работу, что благодаря своей бурной активности «поднялась на районный уровень». И после окончания школы, как по мановению волшебной палочки, оказалась на одной из должностей в райкоме комсомола. Веселость ее к тому времени снова прошла, да и прежней живости и непосредственности больше не было — зато осталась величавая поступь, грозный взгляд и явно растущая мания величия.

Мы всей семьей недоумевали: она никогда не помышляла о подобной карьере.

Но вскоре мы облегченно вздохнули: не прошло и нескольких месяцев, как сестра бросила с таким трудом завоеванное место в райкоме. После этого она снова сразу же повеселела, ожила, сбросила глупую маску наигранной важности и опять стала милой и естественной, какой была раньше.

Прошло еще несколько лет. Сестра нашла свое настоящее дело, занявшись психологией. И теперь уже с профессиональной точки зрения, как психолог, решила разобраться, что же это такое с ней было. Ведь данный факт ее биографии оставался загадкой даже для нее самой! Темой ее исследований в студенческом научном обществе как раз были мотивы поведения человека. Вот она и решила разобраться в этих мотивах на собственном примере.

И что же выяснилось? Применив новейшую методику психоанализа к самой себе, сестра с удивлением обнаружила, что причиной, толкнувшей ее к бурной комсомольской деятельности, стала, во-первых, зависть к комсоргу школы — красивой активной девочке, всегда бывшей в центре внимания, во-вторых, полуосознанное желание понравиться одному пареньку из класса (на уровне сознания она даже не признавалась самой себе, что он ей нравится!) и, в-третьих, просто скука от школьной рутины, абсолютно неприемлемой для такой деятельной натуры, как моя сестра.

Но это — с точки зрения психологии. Настоящие причины такого поведения сестры, как вы понимаете, лежат глубже. А причины эти возникли в подсознании, которое было атаковано энергоинформационными паразитами.

Энергоинформационные паразиты чаще всего активизируются в момент, когда мы затоскуем, растеряемся, захотим чего-то другого от жизни, но примерно в трети случаев сами индуцируют такое состояние. Сестра затосковала, сама не осознав причин своей грусти, — а энергоинформационный паразит тут как тут, преподнес ей на блюдечке готовое решение: пойди по проторенной дорожке, покорми эгрегор комсомола — там и тебе дадут и власти, и славы, и денег... Вот она и потеряла Бог знает сколько времени своей драгоценной жизни на достижение совершенно ненужной ей цели.

И вот здесь надо отметить одну интересную особенность: дело в том, что на этом ложном пути сестре необыкновенно везло. Вы ведь понимаете, что в райком комсомола в те времена человека с улицы просто так не пускали. Она же попала туда практически без труда. Почему? Потому что идеи, внедренные ей в разум энергоинформационным паразитом, прошли переработку от самых глубинных подсознательных слоев до верхних, сознательных. И разум в единстве с колоссальными энергетическими и информационными возможностями подсознания повел сестру самой короткой и эффективной дорогой по пути, выгодному энергоинформационному паразиту, но совершенно чуждому ей самой.

Мы же после первой ступени ДЭИР стали свободными — лишились контроля и поддержки со стороны энергоинформационных паразитов. Теперь нам приходится самим формировать свои идеи и свои пути дальнейшего движения в своем собственном сознании. Затем нам приходится внедрять эти идеи в подсознание — ведь иначе оно о них ничего не узнает. В самом деле, с какой такой радости? Сознание мыслит словами и совсем немного образами (вспомните, что в первые полтора-два года жизни, когда наша психика формируется, мы слов вообще не знаем и знать не хотим), а подсознание мыслит образами, ощущениями, локомоторными

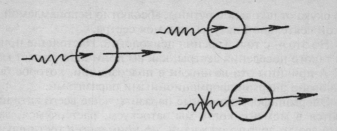

Рис. 4. Человек, освободившийся от влияния паразитической сущности, свободен и от программирующего влияния паразита

схемами... Раньше паразит шептал свои сладкие обманные слова непосредственно «на ухо» подсознанию. Теперь нам самим приходится нашептывать подсознанию нужные уже нам, а не паразиту вещи.

Затем нам надо было научиться проверять наши цели и идеи на истинность и научиться внедрять их не только в сознание, но и в свою энергетическую структуру.

Нам пришлось овладеть программами на удачу и везение, которые восстановили единство между сознанием и подсознанием и позволили подсознанию непрерывно вести нас по пути достижения нужной только нам, истинной, свободно избранной цели. Теперь, стоит нам лишь выбрать цель и согласовать ее со своей глубинной сущностью, как мы сразу же начинаем, не затрачивая никакого труда, незаметно продвигаться все ближе и ближе к цели.

Эти программы восстановили наш собственный контроль над собой примерно на одну треть. Дальше был необходим следующий этап.

Этап второй: теперь нам нужно было привлечь к реализации наших целей других людей, освоив программы на эффективность собственных действий.

Раньше из-за того, что на нас все время воздействовали извне паразиты, наши идеи, мысли и цели были, в принципе, такими же, как у всех других людей. Все хотят поступить в институт — и мы хотим. Все хотят отдыхать на юге — и мы тоже. Все хотят шубу, машину, дачу — значит, и нам надо. В общем, оригинальностью мышления мы не отличались. Теперь же — совсем другое дело. Теперь наши цели стали только нашими. Теперь мы не оглядываемся на мнение большинства. Теперь мы делаем только то, что нужно нам, что мы на самом деле хотим делать. И нам абсолютно безразличны попытки социального давления. Как говорится, собака лает, а караван идет. При этом мы уверены, что наш караван движется в верном направлении, что бы там ни говорили вокруг. Потому что наши цели — это свободно выбранные цели свободного сознания.

И все же при всем этом мы живем пока еще в социуме. Мы можем не зависеть от социума, но вписываться в него мы вынуждены, потому что у нас очень мало целей, которые возможно достигнуть в одиночестве. Все в нашем мире является результатом взаимодействия многих. И нам нужно взаимодействовать с другими, а умение привлекать других людей для достижения своих целей — тоже особое искусство.

Раньше нам не требовалось овладевать этим искусством. Раньше, когда мы достигали целей, необходимых энергоинформационным паразитам, все социальные структуры помогали нам в достижении этих целей. Условно говоря, вы приходили в магазин, чтобы купить какой-то товар, а этого товара в магазине в избытке, и все продавцы разом готовы вас обслужить — только возьмите! Теперь же вы уподобились человеку, которому нужен какой-то единичный, как говорят сейчас, эксклюзивный товар, и никому в целом свете он больше не нужен. А значит, и в магазин его не завезли, и продавцы о нем слыхом не слыхивали.

Что остается делать? Ничего, как только вложить в сознание поставщиков и продавцов идею о том, что им просто необходимо поставить в магазин этот товар в единственном экземпляре и просто необходимо продать его именно вам.

Вот именно это нам и пришлось делать, научившись распространять свое влияние на окружающих. Окружающие начали волей-неволей проникаться, заряжаться вашими идеями, даже не догадываясь, что они ваши, а не их собственные. В итоге вы сделали благое дело для этих людей: ведь вы частично освободили их от влияния энергоинформационных паразитов. Способствуя вам, люди по меньшей мере не занимались вскармливанием энергоинформационного паразита.

Итак, мы овладели программами на эффективность действий, и люди стали помогать нам в достижении наших целей. Так мы восстановили две трети контроля над своим существом, сохранив при этом свободу. Остался всего один, последний шаг.

Этап третий: теперь нам нужно было взять под свое управление свою уверенность в себе. Это, пожалуй, самое своенравное чувство. У обычного человека оно находится целиком под контролем энергоинформационных паразитов.

Между тем задумайтесь о том, как много в жизни зависит именно от уверенности в себе. Да без преувеличения можно сказать — почти все зависит, если не вообще все.

Вспомните хотя бы свою юность. Вы наверняка учились в школе, а может, и в техникуме или даже в вузе. Сплошные экзамены, зачеты, волнения из-за оценок. А от чего зависел результат экзамена, помните? Конечно, помните: чаще всего не от уровня вашей подготовки, а от того, насколько уверенно вы держались на экзамене. Вы же знаете, что самые лучшие оценки получают обычно те, кто умеет с уверенным и даже наглым видом нести полную чушь. Преподавателя, как и любого обычного человека, гипнотизирует эта уверенность, его подсознание реагирует так: раз такой уверенный — значит, и правда все знает. Хотя мы-то с вами знаем, что это на самом деле далеко не всегда так. Даже чаще всего не так.

И тем не менее уверенность — залог победы. Вот только во время экзаменов нам редко удавалось создать в себе самих это чувство по своему заказу. Хочешь быть уверенным — а не получается. Так ведь? Для обычных людей — так. То к ним сама собой приходит уверенность и приносит победу, а то вдруг непонятно куда исчезает, оставляя человека в полном бессилии.

После того как вторая ступень ДЭИР была освоена, вы, конечно, прекрасно поняли, что от уверенности в себе зависит все. Если ее нет, то самое истинное желание, самый талантливый план, самый благородный порыв бесследно пропадут, так никогда и не осуществившись в нашем мире. Сколько чудес так и не произошло только потому, что у их творцов не было уверенности в себе!

Уверенность в себе — глубинное чувство. И именно оно является ключом к целостности нашего энергоинформационного существа. Если мы овладели им, то наше подсознание позволяет нам выпустить на поверхность все наши энергоинформационные резервы. Именно благодаря уверенности мы обретаем силу и мощь.

И вы, мои уважаемые читатели, достигли этого. Вы освоили программы на уверенность в себе и тем самым полностью восстановили контроль над собой.

С этого момента мы обрели полную истинную свободу. Мы полностью устранили влияние энергоинформационных паразитов на свой разум и в то же время успешно преодолели все препятствия, возникшие в связи с отсутствием управления нами извне. Потому что мы сами, по собственной воле, отстранили от руля своего сознания щупальца энергоинформационных монстров и сами, по собственной воле, взяли управление на себя.

Уже этим, мои дорогие читатели, мы отличаемся от большинства людей, населяющих нашу Землю. Мы обрели свободную целостность. Кроме силы и свободы, полученных на первой ступени Дальнейшего Энергоинформационного Развития, мы овладели еще и управлением — а это само по себе достижение более серьезное, чем окончание школы и института, вместе взятых!

Но в ходе второй ступени перед нами встала необходимость разрешения еще двух проблем. А именно: проблемы кармы и проблемы здоровья.

И мы начали с проблемы кармы, как одной из самых актуальных проблем современного человека.

Ох уж это загадочное слово «карма»... Кто только не пугает нас им. Что только не подразумевают под этим словом. Каких только рекомендаций по ее исправлению не дают...

Сразу скажу: большинство тех, кто сегодня рассуждает о карме, намеренно кривят душой. Именно сейчас я хочу пролить истину на эту проблему и открыть наконец вам глаза на подлинные причины кармы. Раньше об этом было говорить преждевременно — вы еще не были готовы. Поэтому даже на страницах второй книги, посвященных карме, я говорил об этом лишь намеками. Но сейчас время пришло. Пора уяснить для себя, где ложь, а где правда о карме. Прежде было рано, а потом будет поздно, так как неправильное понимание кармы теперь нам может очень повредить.

Так вот, совершенно ложно суждение, что карма будто бы является наказанием за какие-то грехи. Ошибочно также мнение о том, что карма является результатом агрессивных действий окружающего мира по отношению к человеку.

Вы можете, если захотите, узнать правду, прочитав первоисточник учения о карме, созданный за несколько тысячелетий до нашей эры, гениальный труд «Махабхарата». И тогда вам не придется принимать на веру измышления различных толкователей кармы.

На самом деле истинная причина кармы заложена глубоко внутри самого человека. Так исследования, проводившиеся в США, ясно показали, что человек, страдающий от кармических, то есть повторяющихся, событий, совершенно самостоятельно выбирает свой путь, не понимая, что он приведет его к разочарованию. Нет такого понятия, как карма семьи, и не может быть так, что ваша карма заставит страдать ваших близких. А истинная причина заложена в подсознательных, не контролируемых человеком особенностях его личности. В самой структуре человека заложена программа, согласно которой он совершает совсем не те поступки, которые ему нужны. А досталась ему эта программа от человека, чья душа ему теперь принадлежит. Он совершает какие-то поступки, которые ему совсем не нужны, это приводит к появлению у него чувства вины. Это единственная причина кармы (см. рис. 5 *а*, *б*).

Но как же научиться не совершать поступков, которые вам не нужны? Об этом вы уже прекрасно знаете: надо просто научиться проверять свои действия на истинность. Это вы уже умеете. Но есть еще одна замечательная подсказка, позволяющая нам отличать истинные поступки от неистинных. Вот она: когда мы делаем то, что нам не нужно, мы всегда в той или иной степени испытываем чувство вины. Иногда оно почти неосознанное, иногда человек сам пытается его заглушить. Не надо этого делать. Всегда прислушивайтесь к себе: нет ли смутного чувства вины? Если есть — откажитесь от поступка, который его вызывает.

Все очень просто: не поступайте так, чтобы испытывать чувство вины, и в следующей жизни вы не будете страдать от кармических последствий.

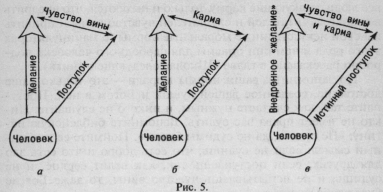

Рис. 5.

а. Неверный путь — поступок был первичен и ложен, он противоречил желанию и вызвал чувство вины. Программа осталась в душе.

б. Последствия программы чувства вины. Желание было первичным и истинным, но поступок увел в другую сторону — и произошло несчастье.

в. Внушенное отречение от своих истинных желаний. Чужая мораль вызывает чувство вины за свои истинные поступки.
Программа осталась в душе

Но есть, к сожалению, еще один способ, которым вы можете создать в своей душе такую программу. Чувство вины само по себе несет серьезную опасность: дело в том, что если мы будем его испытывать по любой причине, то оно само отложится в матрице нашей души в виде отдельной программы (см. рис. 5 *в*). Так что нужно максимально осторожно обращаться с людьми, пытающимися породить в нашей душе чувство вины, — но не бояться их. Бояться их — значит уже поддаться им. А поддаться им — значит, выйти на прямой путь по усугублению своей кармы. Нам нечего их бояться. У нас нет внутренних оснований для чувства вины. У нас есть уверенность в себе и в своих поступках. Значит, как бы они ни пытались навязать нам чувство вины, это у них вряд ли получится.

Кто пытается внедрить в нас чувство вины? Люди, которые стараются навязать нам свои моральные нормы. Грешат этим и различные толкователи кармы. Они часто стремятся привить читателям свою мораль, чтобы начать манипулировать их сознанием. Еще в Библии сказано об опасности для души, проистекающей от велеречивых лжеучителей. А у нас все люди, толкующие карму, только и пытаются, что внедрить в сознание читателей и слушателей чувство вины и привить им свои искусственные моральные нормы (о манипуляторах этого рода и чем они опасны для свободного человека подробно рассказано в главе «Школа» следующей книги).

Но запомните: ваши нормы морали — это только ваше достояние, созданное вашей душой и Богом в ней. Поступайте так, как считаете нужным, и никого не слушайте. Никто не имеет права вас судить. Вспомните библейскую истину: «Не судите, да не судимы будете». Поймите ее глубинный смысл: если не судишь, что есть добро и что есть зло для других, если поступаешь так, как велит сердце, и не судишь, и не испытываешь чувство вины, то даже Бог не будет тебя судить.

После второй ступени мы полностью освободились от несущего несчастья наследия предыдущей жизни — от тех программ, которые были заложены в прежних воплощениях души. Особенно эффективно справились с этим те, кто прошел очное обучение. Мы научились переводить свои кармические проблемы на язык подсознания и слышать этот язык, понимать его, хоть там и нет слов. Мы удалили истинную причину кармических последствий в себе, а именно предкармический комплекс, и после второй ступени полностью освободились от навлекающего беды следа предыдущей жизни. Это дает эффект в десятки раз больший, чем самостоятельная отработка.

Мы также поработали со своим здоровьем — настолько, насколько это вообще возможно при помощи энергетических методов. Сначала мы научились убирать чувство боли и таким образом нормализовали тканевые рефлексы, участвующие в процессе воспаления, провоцирующего развитие функциональных заболеваний и дальнейший прогресс органических поражений. Потом мы научились анализировать состояние своего тела, следя за перистальтикой кишечника, ощущая почки и печень, бронхиальное дерево и ткани легких, сердце и мочеточники. Мы освоили великолепный метод набора энергии — энергетический пост. И наконец мы овладели программами на здоровье — энергетическими матрицами, которые дают возможность поддерживать тело в здоровом состоянии и препятствуют развитию заболеваний.

И это было очень правильно, потому что только Богу дано изменять уже проявленную реальность, мы же можем лишь направлять процессы, уже идущие в мире. Наименее травматические методы помощи своему здоровью — методы энергетические. Энергоинформационные приемы могут нам помочь в лечении заболеваний, если они сочетаются с методами, дающими наивысший шанс на успех, а именно с методами официальной медицины. Они повышают шанс на успех лечения в несколько раз!

Итак, на второй ступени мы улучшили наше здоровье. После этого нам осталось только познакомиться с некоторыми методами, увеличивающими шансы на достижение своих целей.

Да, мы стали свободными и сильными, да, мы научились многому — но все равно в социуме остались очаги сопротивления нашему продвижению.

Выход был один: продолжать ослаблять влияние энергоинформационных паразитов на окружающих людей, чтобы достигнуть наивысшей эффективности при общении с ними. Нам нужно было достигнуть с другими иного, нового уровня взаимопонимания, суметь передавать другим свои намерения и желания.

Мы были похожи на древнее существо, прапрапрадеда всех ходящих по земле, которое выбралось из моря на сушу и обнаружило, что суша занята уже плотными рядами растений, пусть стоящими гораздо ниже по эволюционной лестнице, но зато пришедшими раньше. Нужно было учиться активно благоустраивать среду обитания под себя.

Нам отчаянно нужна была третья ступень ДЭИР — Влияние

Из всех ступеней ДЭИР эта, описанная в третьей книге — «Влияние», вызывает у многих людей наибольшее количество споров и опасений (и одновременно она же дает освоившему ее человеку максимум социальных преимуществ перед остальными). Я хочу в корне пресечь саму причину споров, и поэтому давайте немного поговорим об этике свободного человека.

Да, в третьей книге рассказывается о программировании других. О несловесном воздействии на их сознание и мысли, о передаче намерений и желаний. И именно этого многие пугаются. Потому что в разных книжках читали, что это вредно, этого делать нельзя и это ухудшает карму.

В самом деле, как тут не испугаться! Можно ли тонкие энергии применять в целях программирования других людей, если везде написано, что нельзя? Это же означает ухудшить свою карму!

Правильный ответ такой: можно и даже нужно. И вот основания, почему я даю такой ответ. Во-первых, нам не было бы дано таких способностей, если бы это было противно мирозданию. А если способности есть, то не развивать их означает не выполнить своей жизненной задачи. Во-вторых, такое воздействие осуществляется на нас непрерывно, и свободный человек должен хоть что-то противопоставить непрерывной агрессии социума. В-третьих, если мы отказались от своих возможных преимуществ, а они нам понадобились, то мы совершили преступление перед всеми, кто нам дорог, — перед своими родными и близкими, теми, о ком по всем законам природы должны заботиться. В-четвертых, если мы решили чего-то не знать, потому что кто-то сказал нам, что якобы это плохо, то это означает, что мы подарили часть своей жизни человеку, определившему наш путь вместо нас.

Те, кто прошел очное обучение в нашей школе, понимают разницу между знаниями и их использованием. Знать — не значит применять свое знание направо и налево, а это значит хранить его в памяти до того момента, когда знание понадобится для деяния во благо. А теперь я немного поясню свои мысли.

Посмотрим в глаза правде. Вспомните Ленина, Ганди, Дизраэли, Гитлера, Вашингтона, Сталина, Цицерона. Они что, по-вашему, не программировали людей? Именно программировали. Вспомните продавца какой-нибудь заморской «панацеи», всучившего вам совершенно ненужный товар. А он, вы думаете, и не собирался программировать вас? Да он только это и делает. Работа у него такая! Вспомните любого из своих знакомых, кто постоянно внушает окружающим истины относительно того, что такое хорошо, а что такое плохо. Программирование окружает нас! Причем это зачастую недоброе программирование.

Извините, но врага надо знать в лицо. И надо уметь говорить на его языке. Если все кругом нас программируют, мы должны по крайней мере знать, как это делается. Мы должны уметь распознавать такие попытки. Мы должны уметь обезвреживать их. А иначе как мы можем содействовать движению мира по пути добра, если есть в мире уроды и нелюди, которые вершат зло, и мы не умеем их распознавать и обезвреживать?

В чем состоит задача человека, как и любого другого живого существа? Она состоит в том, чтобы человек наиболее полно реализовал свои возможности, принеся максимум благ самому себе, своим близким и только потом всем остальным. Только тогда можно считать, что жизнь удалась. Человек должен все узнать, все изведать и делами своими определить, кто он. Нам дана способность прорваться за пределы собственного тела, осуществлять непосредственный контакт от сознания к сознанию! Отказаться от этого? Гораздо менее печально отказаться от умения говорить!

Следующий довод очень прост. Наш мир идет к добру, или, вернее, стремится идти к нему. Но как оно должно достигаться? Тем, что каждый будет заниматься делами всех, или тем, что каждый будет заниматься своими делами? Конечно, вторым путем, потому что первый путь ведет к созданию бессмысленного для отдельно взятого существа муравейника, где правит только тот, кто стоит наверху. Сама природа дала нам родителей, супругов, детей и друзей. Кто будет заботиться о них, если не мы сами? И им в жизни тем лучше, чем лучше нам. Своими попытками казаться «просветленнее» тех, кто в корыстных целях уговорил нас отказаться от своих преимуществ, мы предаем близких, которые зависят от нас. Как справедливо отметил М. Булгаков, разрухи не будет, если ее не допустит каждый в отдельности в своем собственном жилище. К примеру, многие дети погибли от голода в Гражданскую войну, потому что их родители добровольно отдали последнее (или не спрятали жизненно необходимое) на корм развивающейся опухоли большевизма. Помните об этом.

И последний довод. В Библии сказано: «Не сотвори себе кумира». И эту заповедь надо рассматривать не только с точки зрения веры, но и с человеческой точки зрения. Кумир — это человек, который пытается управлять другими при помощи своей морали и этики. Не случайно любая богопротивная секта строится на морально-этических постулатах, толкуемых лично основателем секты. Сейчас нас окружает множество людей, вещающих, словно наместники Бога на Земле, о том, что можно и чего нельзя, что якобы портит карму и судьбу. И мы, с нашим новым энергоинформационным пониманием мира способны осознать всю опасность, кроющуюся в таком, казалось бы, бескорыстном желании поучать других добру и злу.

Ведь человек — это существо энергоинформационное, а не просто тело. Мы — это преимущественно наше сознание, и пока живо сознание, живы и мы. А сознание наше действует по внутренним схемам, прежде всего схемам морально-этическим, используя полученную от мира информацию. Ведь мы все понимаем, что подонок и святой, имея равную информацию о каком-либо событии, поведут себя совершенно разным образом. Если мы поддались чужому гипнозу и

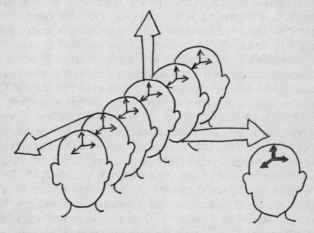

Рис. 6. Поучающее сознание, инфицируя своими морально-этическими принципами других, само размножается в их мозге, создавая для себя тысячекратно упрочненную благоприятную среду

допустили чужие этические принципы в свое сознание, если мы не сами выработали их, опираясь на свое видение мира, то мы потеряли себя. В нашем мозгу процветает, нагло пользуясь нашей информацией и жизненными силами, словно жирующий и сорящий своими яйцами глист, сгусток чужих представлений о добре и зле, живой сгусток чужого сознания. Он принадлежит не вам, а чужому сознанию, размножающемуся таким способом. Оно пожирает ваши мозговые ресурсы и время вашей жизни.

Поэтому нигде и никогда на занятиях единой школы ДЭИР вы не услышите слов о том, что такое хорошо, а что такое плохо. Это было бы нечестно по отношению к нашим слушателям. Ведь все мы должны свободно принимать решения, руководствуясь только своим собственным опытом и ощущением Бога в душе.

Знать нужно все на свете, а делать или не делать — должна решать ваша свободная воля, иначе никакая эволюция и никакой прогресс невозможны. Мы все должны жить так, чтобы каждый наш поступок был продиктован нашей истинной сущностью, так, чтобы не испытывать чувства вины. Все прочее от лукавого.

Ну и хватит об этом. Вы, мои читатели, без сомнения, уже решили для себя эту проблему. Нам надо бы чуть поподробнее рассказать о третьей ступени тем, кто начал изучение ДЭИР с этой книги.

А возможности она дает поистине необыкновенные, ранее считавшиеся достоянием единиц.

Вот, например, одно из стандартных упражнений третьей ступени школы ДЭИР. Эксперимент проводят два человека. Один человек сидит у стола, на котором десяток самых разнообразных предметов. Другой сидит спиной к столу, ни о чем особенном не думая. По команде первого участника он должен повернуться и взять со стола один из десяти предметов — любой, какой ему захочется взять.

И вот результат: первый участник контролирует выбор второго — тот берет со стола именно тот предмет, который ему мысленно велел взять первый (на третий день занятий на курсах, например, в таком эксперименте был достигнут результат: 11 эффективных воздействий из 14 попыток. Предметов было 8, а вообще-то профессионально работающие с такой техникой люди допускают едва ли две-три неудачи на сотню попыток).

Чудеса? Если так, то это чудеса, которым на наших курсах может обучиться любой человек. Гораздо важнее другое — ведь для наших читателей нет ничего проще, как подслушать мысли другого, угадать, какой именно предмет заказан. Это даже неинтересно. Тут сложность в том, что человек не «подслушивает», а просто берет предмет. Обученный человек может даже «вести» необученного, подсказывая ему решения. Но скажем прямо, если вторая ступень пройдена успешно, то такая необходимость возникает довольно редко, потому что эти навыки стоит применять, только столкнувшись с людьми, находящимися под очень жестким управлением энергоинформационных паразитов. А их всего лишь процентов пять в нашем обществе.

Таких примеров при прохождении третьей ступени множество. Но я скажу больше, раскрывая еще один важный момент. В процессе овладения техниками третьей ступени разумы людей раскрываются навстречу друг другу. И мы начинаем общаться на новом, ранее никому не доступном уровне. Мы начинаем чувствовать друг друга. Освоившие третью ступень начинают обмениваться информацией непосредственно от сознания к сознанию, минуя слова.

В ходе обучения третьей ступени мы изучили механизм мышления человека. Побывавшие на курсах помнят классическую цепочку, схематически отображающую механику процесса мышления: услышал — понял — наметил — рассмотрел — элементарное желание — стартовый толчок. Они освоили многочисленные навыки: научились временно отсекать управляемого энергоинформационным паразитом человека от управляющих щупалец, освобождая его, делая неподвластным внешним влияниям хотя бы на время, заставляя его осмысленно открываться новым идеям и информации, поступающей от объективного мира, а не от энергоинформационных паразитов.

Мы обнаружили для себя, как фокусировать свой центральный восходящий поток таким образом, чтобы иметь возможность вторгаться им в сознание другого человека, разрушая, усиливая или тормозя формирующиеся там идеи, в том числе навеянные энергоинформационными паразитами, и удерживать его от опрометчивого шага.

Мы научились передавать и поглощать стартовый толчок, запускающий процессы мышления и действия человека.

Мы смогли научиться «слышать» намерение другого человека и передавать ему свое намерение — именно намерение, а не образ, потому что образы лгут.

Мы узнали, как почувствовать желание другого человека, как передать ему свое желание.

Короче, мы всего лишь научились свободно передавать информацию от сознания к сознанию, минуя слова, минуя даже мысли.

Мы сделали это — и огляделись вокруг. И увидели, что социальных барьеров, стоящих на пути нашей эволюции, больше не осталось. Мы действительно свободны и даже в социальных рамках можем почти все.

Наша судьба к тому времени изменилась. Многие нашли другую, более подходящую для себя работу. Многие гармонизировали личную жизнь. И оказалось, что перед нами больше нет препятствий.

Перед нами — действительно нет. А вот внутри нас... Да, теперь нам надо было продолжить работу по преобразованию себя изнутри.

Поэтому нам срочно потребовалась четвертая ступень.

На четвертой ступени мы сделались новым существом

Вы уже поняли, как важна была эта ступень. Ведь именно на ней мы стали — ни больше ни меньше — совершенно новым существом.

С какими же проблемами мы столкнулись, из-за которых, собственно, и потребовалась четвертая ступень, изложенная в четвертой книге — «Зрелость»? Те из читателей, кто прочел все книги и к тому же побывал на курсах, прекрасно это помнят: на сей раз мы оказались перед барьером энергетической организации нашего тела.

В прежнем своем состоянии мы были неспособны соответствовать тем энергетическим уровням, которых мы стали достигать. Тело просто не выдерживало такой мощной энергетики! Возможности его были столь скудны для данного этапа, что трудно было полноценно осуществляться в творчестве, получать доступ к интуитивным данным и даже поддерживать здоровье. В общем, мы столкнулись с проблемой собственной ограниченности. Эта проблема стоит и перед остальными людьми, но они не понимают этого. Мы доросли до понимания. У того, кто дорос, кто признался в собственной ограниченности, есть шанс ее преодолеть и пойти дальше.

И мы пошли дальше. Мы поняли причины этой ограниченности. А причина состоит в отсутствии целостности у обычного человека. Все его «составные части» разобщены. Есть эфирное тело, но оно крепко связано с физическим телом и никак не связано с душой. Есть душа — источник творчества, но наше сознание не осознает ее, и тело не ощущает.

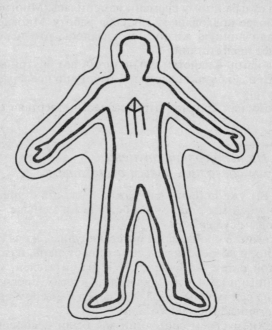

Рис. 7. У человека множество тел, но душа только одна

Есть сознание, но оно оторвано от души и от эфирного тела и зависит лишь от жизни физического тела, вместе с которым и умирает.

Сознание, душа и эфирное тело не были соединены воедино. Поэтому тело было слабым, душа — бессознательной, а сознание — смертным. После смерти человек забывал себя, несмотря на бессмертие души. Душа блуждала где-то в тонких мирах в бессознательном состоянии.

Объединяя душу, эфирное тело и сознание, мы становимся воистину бессмертными. Мы становимся творческими, одухотворенными людьми с великолепной интуицией и здоровым, живым, подвижным телом.

Мы много потрудились. Но и достигли многого.

Мы узнали, что такое чувство «я есмь». Мы научились находить его в себе. Мы уже знаем, ощущаем, что это такое. Мы уже знаем, что обнаружить его — не значит «представить у себя в голове шарик» (такое я слышал от многих впавших в заблуждение людей). Чувство «я есмь» — это именно ощущение, а не зрительный образ. Ощущение, не зависящее от механизмов сознания, от его логики и образного восприятия. Мы освоили навык перемещения этого чувства по всем трем пространствам, доступным человеку: по пространству объективной реальности, по пространству субъективной реальности и по пространству души — внутреннему виртуальному пространству. Мы можем встроиться этим чувством в свою творческую зону: сколько людей после этого начали рисовать или с легкостью изучать иностранные языки. Мы можем побывать в гостях у сознания совсем другого существа — к примеру, кошки или собаки. Мы сделали свое сознание равным нескольким десяткам сознаний, существующих одновременно.

А главное — мы заставили свое сознание обнаружить и признать свою душу и слиться с нею воедино.

Мы расщепили свое чувство «я есмь» на две составляющие, разместив их в точках входа центральных потоков, в энергетическом пламени, формируемом нашими крайними чакрами, Сахасрарой и Муладхарой. Это дало нам настоящий доступ к энергии центральных потоков и позволило заглушить беспорядочную «болтовню» мыслей, включив на полную мощь голос интуиции.

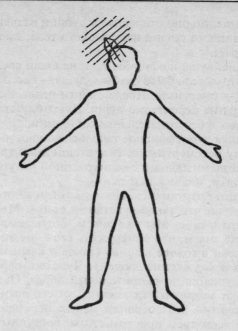

Рис. 8. Эфирное тело, сознание и душа — только их совмещение способно дать бессмертие

И наконец мы завершили слияние, заставив наши крайние чакры раствориться в эфирном теле, что сделало нас полностью свободными, ведь теперь наше эфирное тело несет в себе и сознание, и душу, и, помимо всего, оно не зависит от тела физического!

Это состояние стабильно и надежно. Оно дает нам энергию, интуицию и творчество. Казалось бы, чего еще пожелать?

И все же нам осталось еще чего пожелать.

Есть еще что-то, что не было нами всерьез рассмотрено. Да, мы полностью вырвались из сетей, которыми опутано человечество. Нас теперь не пугают ни энергоинформационные паразиты, ни собственное несовершенство.

И теперь, когда наш взор стал чистым и незатуманенным, мы вдруг увидели Мир.

Мы взглянули на небо без искажающих зрение мутных очков, надетых на глаза большинства людей. И увидели величественный процесс внутренней жизни Вселенной.

И вот стоим мы, растерянные, пораженные небывалым зрелищем. Мы видим Вселенную — тело мира. Мы чувствуем бескрайнюю таинственную мощь, живущую в этом теле, — душу Мира. Мы готовы протянуть свои руки к ней — вечной и непостижимой душе Мира.

Той, которую мы называем Богом.

Прикосновение к Высшему... Вот для чего нужна нам пятая ступень ДЭИР.

Глава 2

Опыт, власть и Высшие Силы

МИРОВЫЕ ТЕЧЕНИЯ

Истинная Вселенная невероятно отличается от мира энергоинформационных паразитов. То есть от того мира, в котором мы привыкли жить с детства. Вся Вселенная находится в постоянном движении. Она живая. В прямом смысле живая: наделенная не только силой, но и сознанием. Там постоянно идут процессы гигантских масштабов. Мы не в силах увидеть эти процессы целиком, мы не в силах осознать их полностью — мы сталкиваемся лишь с отголосками этих процессов. Мы видим: вот ветер дует — а вот стих. Вот на солнце появились пятна — вот исчезли. Вот игральная кость выбросила нужные очки — а вот нет. Вот сосулька упала с крыши кому-то на голову — а вот пролетела мимо. И все это нам кажется простыми случайностями.

Но теперь-то мы знаем, что случайностей не бывает. Случайность — не что иное, как непознанная закономерность. Прикосновение к Мировым Течениям дало нам возможность начать, хотя бы отчасти, познавать эти закономерности.

И начав их познавать, мы обнаружили, что существует два вида «случайных» стечений обстоятельств. Первый вид — это стечения обстоятельств, организованные энергоинформационными паразитами. Второй вид — стечения обстоятельств, санкционированные Мировыми Течениями.

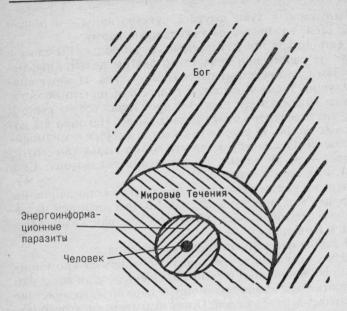

Рис. 9. Человечество, окутанное дымкой энергоинформационных
паразитов, только ничтожная пылинка в океане Мировых Течений,
над которыми находится Бог

Как отличить одно от другого? О том, как именно под-
брасываются нам разные «приманки» энергоинформационными паразитами, мы уже не раз говорили. Надо энергоинформационному паразиту отправить как можно больше
людей на войну — он сделает невероятно привлекательной
военную службу, он начнет приводить в военные училища
наиболее податливых людей, а людей с соответствующими
наклонностями — на предприятия, где разрабатывается и
производится оружие. В жизни и тех и других найдутся люди, которые все устроят, все уладят, приведут их именно туда, куда нужно энергоинформационному паразиту. И они
ведь будут радоваться такой возможности: как же, высоко-
оплачиваемая, престижная работа, только счастливая случайность могла дать такую! Эти люди не думают, как сурово им придется расплачиваться за эту «случайность». Ведь

они заглушили в душе смутное чувство вины — и пошли против себя, наживая себе тяжелейшую карму.

И есть другие так называемые случайности. Вы едете в трамвае на работу или куда-то по другим делам. Опаздываете. Вам еще предстоит пересадка в метро. И вдруг впереди идущий трамвай сходит с рельс. Вам ничего не остается, как выйти и идти пешком, проклиная все на свете и думая, что вам теперь будет за опоздание. Наконец вы добрались до метро. И видите множество скорых и милицейских машин. Оказывается, десять минут назад там что-то случилось — то ли взрыв, то ли авария эскалатора. Есть жертвы, и, кажется, немало.

Теперь вы уже не ругаетесь и не сетуете на опоздание. Вы благодарите тот злополучный трамвай, оказавшийся на самом деле счастливым. Может быть, он спас вам жизнь. Могло быть и наоборот.

Вот так на нас влияют Мировые Течения.

Как же отличить эту истинную помощь от «помощи» энергоинформационных паразитов? Очень просто: когда нам «помогают» энергоинформационные паразиты, воздействие осуществляется через людей. Они нас агитируют, уговаривают поступить именно так, а не иначе. А мы колеблемся, сомневаемся, испытываем чувство вины... И если глушим в себе эти ощущения, то становимся жертвой энергоинформационного паразита. Если хорошо слышим самих себя, свою душу — легко отказываемся от ненужных нам предложений или, наоборот, принимаем их.

В случае с Мировыми Течениями обстоятельства создаются не другими людьми, а складываются как бы сами собой. Если в этих стечениях обстоятельств и задействованы люди, то они никак не пытаются влиять и воздействовать на нас, они просто ведут себя как обычные участники событий. Мировые Течения — это распределение обстоятельств вокруг нас, совпадения случайных событий, то, что никак не зависит от людей.

Итак, энергоинформационные паразиты всячески стараются навязать нам свою волю, влияя на нас единственно возможным для них способом — через людей. Именно через людей они манипулируют нашим сознанием. Мировые Течения совсем не таковы. Они не включают людей в механизм своего действия. Ведь обычные люди для них слишком малы и незаметны. Они их просто не видят. И тем более не могут задействовать их в свои планы.

Внешние процессы Вселенной не навязывают нам свою волю. Они просто создают или не создают возможность для реализации наших желаний.

К примеру, молодой человек хочет жениться. Заботливые тетушки и прочие родственницы и знакомые начинают сватать ему одну невесту за другой. Но ему не нравится ни та, ни другая, ни третья... Но жениться-то надо. И он в конце концов выбирает ту, которая хотя бы не совсем противна — из числа невест, приведенных в дом тетушками. Обстоятельства складываются так, что после свадьбы ему приходится перебраться жить к молодой жене. А там — настоящий серпентарий. Куча родственников в одной квартире, и у всех невозможные характеры. Теща каждый день устраивает скандал, как будто хочет сжить со свету зятя. А энергоинформационный паразит вволю питается возникаю-

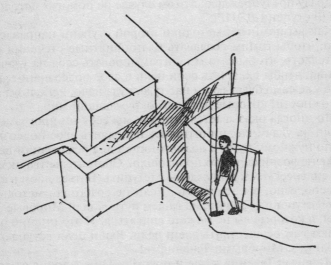

Рис. 10. Обычный человек в лабиринте событий —
энергоинформационные паразиты направляют его путь,
но стенки лабиринта созданы Мировыми Течениями

щей негативной энергией и буквально пьет кровушку несчастного молодого мужа.

Стечение обстоятельств создано искусственно — тетушками и нянюшками. Явный признак вмешательства энерго-информационного паразита.

Другой вариант тех же событий. Молодой человек оказывается не таким слабым и инфантильным. Он посылает подальше тетушек и нянюшек с их постылой заботой и с их уродинами невестами. Он просто живет — и, выйдя однажды на шоссе из внезапно поломавшейся машины, встречает свою будущую любимую жену, с которой и живет долго и счастливо.

Стечение обстоятельств сложилось само, к нему подтолкнула лишь своевременная поломка автомобиля. Явная случайность — проявление Мировых Течений.

Так что же делать, если Мировые Течения препятствуют нашему движению? В первую очередь, надо знать: это означает, что мы по тем или иным причинам вошли в конфликт с Мировыми Течениями. Не то чтобы это был конфликт... В общем, мы просто пытаемся плыть против течения.

Сразу предупреждаю: в этом случае не помогут методики второй ступени ДЭИР!

Как вы помните, методики второй ступени направлены на то, чтобы самим создавать благоприятные стечения обстоятельств, чтобы самим программировать себя на удачу и везение, чтобы включать свои цели в свое подсознание, которое уже само будет вести нас туда, куда надо, используя все возможности, которые дает нам окружающий мир.

Но иногда оказывается, что как мы себя ни программировали на удачу, как ни пытались направить свое подсознание по нужному пути, а возможностей для реализации цели все же не возникает. Что произошло? Обстоятельства оказались сильнее! И мы вынуждены отступить. Биться лбом в стену бесполезно, вы это знаете. Если не сработали методики второй ступени — значит, на вашем пути встали Мировые Течения, в которые вы не можете вписаться. И это именно они не дают вам осуществить ваши цели. Ваши цели вступают в конфликт с Мировыми Течениями!

Мировые Течения везде и повсюду. Они заполняют весь наш мир. И для людей проявляют себя в виде вероятностных событий окружающего мира.

НОВАЯ СТУПЕНЬ — НОВЫЕ ПОТРЕБНОСТИ

Люди не знают закономерностей, по которым существуют Мировые Течения, и поэтому придумали теорию вероятностей. И уловили-таки, что существуют закономерности даже в самой вероятности выпадения тех или иных событий!

Но люди оценивают лишь внешние, опосредованные последствия движения Мировых Течений — своего рода отголоски. Подлинных закономерностей целиком и полностью постичь нам не дано. Ведь мы не знаем ни причин, ни следствий движения Мировых Течений.

И все же мы можем выявить смысл в событиях, которые кажутся нам случайными. Благодаря чему это становится возможным? Благодаря тому, что все мироздание — живое. Оно наделено сознанием. Мировые Течения тоже наделены сознанием. Конечно, это сознание в триллионы раз сложнее человеческого. И все же человеческое сознание, как частица, атом мирового сознания, несомненно, имеет с этим мировым сознанием много общего. У них общая природа! А значит, есть точки соприкосновения. Мы можем анализировать случайности и выбирать среди них свой путь.

Конечно, не каждое человеческое сознание может дорасти до этого понимания. Но сознание человека развитого, человека, вступившего на новую эволюционную ступень, готово к тому, чтобы соприкоснуться с закономерностями Мировых Течений. Наше сознание уже достигло нужного для этого уровня развития. Сознание обычных людей можно уподобить устаревшим радиоприемникам, которые принимают лишь одну низкочастотную волну, да и то с трудом. В итоге такие люди способны соприкоснуться своим сознанием разве что с проблемами кухонных склок или цен на колбасу. Сознание развитого человека подобно новейшему сверхчувствительному приемнику, способному настраиваться на множество волн самых разных диапазонов, умеющему улавливать самые тонкие, самые высокочастотные сигналы. Поэтому мы с вами способны дотянуться своим сознанием до уровня Мировых Течений.

И если мы при этом даже не полностью понимаем все законы Мировых Течений, это не страшно. Ведь не все из нас

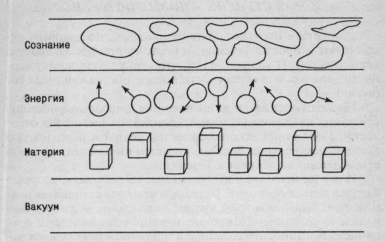

Рис. 11. Иерархия мира. Сознание Мировых Течений и человека находится на одном уровне — и поэтому между ними возможно взаимодействие

знакомы даже с внутренним устройством телевизора, и при этом все прекрасно знают, как пользоваться им. Для этого просто нужно запомнить, на какие кнопочки нажимать, а по какой именно схеме сработает в связи с этим устройство — для нас неважно. Главное, чтобы телевизор включился на нужном канале и начал показывать нужную картинку. Как уж он там внутри себя этого достигает — дело, в общем, не наше. Нам важен результат.

Примерно тот же принцип лежит и в основе нашей работы с Мировыми Течениями. Не нам судить о тонкостях и деталях механизмов Высших процессов. Наша задача в эти процессы вписаться и получить результат.

Если вдуматься, мы можем понять, что на самом деле мы всю жизнь только и делаем, что пытаемся анализировать внешние события, отыскивая в них закономерности. Мы видим, как с неба падает капля дождя. Это — случайное для нас событие. Но мы можем рассчитать, куда она упадет. А это уже — предопределенное событие. Что будет означать эта капля для нас, тоже легко предугадать. Если мы собрались в этот день на пикник — значит, удовольствие от загородной вылазки будет, скорее всего, испорчено. А может, придется и вовсе отказаться от нее и остаться дома.

А вот для чего мирозданию понадобилось падение этой капли, что к этому падению привело и какие из этого возникли следствия на высших уровнях бытия — нам угадать уже невозможно. Но мы можем понять, как это событие отразится на нас, на нашей земной жизни. И заранее предвидеть, каким путем нам в связи с этим идти. Брать зонтик или нет. Ехать на пикник или остаться дома.

Не зная причин и следствий «случайных» событий, надо научиться в них ориентироваться. Надо, если хотите, научиться плыть по течению или предвидеть, когда придется двигаться против него.

Мы можем знать, к чему приведут события, происходящие вокруг нас. Мы можем заранее знать, какой путь для нас открыт, а какой нет, и действовать соответственно.

Это первая наша потребность после четвертой ступени ДЭИР — научиться жить в большом мире как зрячий, а не как несчастный слепец. Нам надо освоить первый этап — получить Опыт.

Вторая потребность еще интереснее. Это потребность менять вероятность событий.

Звучит как фантастика? Еще бы: все мечтают с детства сотворить хоть раз какое-нибудь чудо, изменить обстоятельства так, как нам надо, — как по мановению волшебной палочки.

Конечно, с точки зрения традиционных воззрений на человека это невозможно. Чудеса — сказки для детей, и только. Но мы-то с вами знаем, что сказки на пустом месте не возникают. Они, как правило, отражают скрытую, невидимую обычным глазом реальность. Для тех, кто знает законы мира, чудеса, фантастика и сказки — это просто один из способов отражения реальности. И в том, что эта реальность на самом деле реальна и для вас, вы очень скоро убедитесь.

Не зря в Библии сказано, что человек создан по образу и подобию Бога. Человек, дорастающий до восприятия высшего, обнаруживает Бога в себе. Не случайно же все религии утверждают, что Бог внутри нас! Но обычному человеку этого не понять. Это может понять и ощутить только тот, кто дорос до новой эволюционной ступени и ощутил свое единство со всей Вселенной и с Божественным.

Человек, обнаруживший свойства высшего в самом себе, приобщается к свойству Бога — творить, быть Творцом, созидать новое вокруг себя: новую жизнь, новые обстоятельства, новые «случайности».

И неужели, получив такую возможность, вы откажетесь от нее? Неужели приятнее быть рядовым пассивным созерцателем? Но это абсолютно не свойственно человеку. Быть «рабом Божьим» — это не для нас. Для нас — быть сотворцом.

Способность воздействовать на окружающий мир заложена в каждом из нас с самого рождения. Но поскольку окружающие люди, и в первую очередь те, кто нас воспитывает в детстве, считают, что это невозможно, то способности эти у большинства так и не пробуждаются. Сам человек не верит, что это возможно, а когда не веришь, то, естественно, и не можешь ничего сделать, как вы знаете. Чтобы возродить в себе эту внутреннюю способность, нужна самодисциплина, вера в себя и твердый курс на собственный рост и развитие. Но ведь для этого мы с вами уже и прошли четыре ступени ДЭИР!

Вы уже сделали все, что необходимо, для проявления способностей к чудесам. Вернее, к тому, что люди называют чудесами. Для нас с вами это очень скоро станет обыденным делом — буднями нашей жизни.

Вы когда-нибудь задумывались о том, что такое магия? Что, вспоминаются страшные истории про злых волшебников, колдунов и чародеев? Или вы уже переросли эти глупые первобытные представления о магии, свойственные обычным людям? Надеюсь, что так.

То, что на протяжении веков называлось магией, на самом деле и есть средства воздействия на окружающий мир. Люди издавна изобретали магические ритуалы. Они применяли и другие способы. А что такое, по-вашему, молитва, как не средство воздействовать на окружающий мир? А есть еще и другие, тоже, кстати, известные исстари, хоть и назывались по-другому, средства — к примеру, методики визуализации. Когда с помощью определенной процедуры человек программирует грядущее событие, наглядно и эмоционально представляя его себе так, как будто событие уже произошло. И при выполнении некоторых условий это событие непременно материализуется.

А чего стоит один только древнейший обряд призывания дождя! И ведь делали это и африканские туземцы, и русские крестьяне. И успешно делали. Мы только что говорили о том, что поведение капли дождя мы еще можем как-то предсказать. А вот как насчет того, чтобы взять да и предотвратить падение этой капли? Чудо? Но это чудо издавна умели совершать множество людей в разных концах планеты. И остается оно «чудом» только потому, что наша официальная наука все никак не хочет признавать реальность таких вещей, хотя они очевидны.

Ну да ладно, об этом как-нибудь в другой раз. А пока вернемся к методам изменения «случайных» стечений обстоятельств. Существует множество таких методов, множество из них успешно работает. Но, заметим, работают они только тогда, когда правильно подобран «ключик» к этим методам. Дай простому человеку самую распрекрасную технику визуализации, самый лучший магический ритуал — и ничего он сделать не сможет. Почему? Да потому, что для успешной работы этих методов нужно одно очень важное условие. Нужна вера.

Скажу сразу: в это понятие я ни в коей мере не вкладываю религиозный смысл. Вера, о которой я говорю, это вера не в кого-то и не во что-то. Это логически не определимое чувство — просто чувство веры. Это нечто вроде постоянного внутреннего воодушевления.

Вера — самое точное определение. Чувство веры — это именно искра, вложенная в человека Всевышним. Чувство веры — это и есть то, что позволяет человеку творить, вмешиваясь в движения мира и внося в него свою, пусть малую лепту.

Как видим, такое представление о вере не имеет ничего общего с религиозными догмами.

Задумайтесь, как рационально устроен внутренний мир человека. В нас есть множество чувств, качеств, особенностей характера. И все они эволюционно оправданны. Например, есть чувство голода. Совершенно естественно оно подталкивает человека к борьбе за выживание, а значит, к развитию необходимых для этого качеств. Кто добудет еду, тот и выживет. А добудет еду тот, кто сильнее, умнее, быстрее, сообразительнее и так далее. Так идет совершенствование вида.

Есть чувство любви. А без этого человечество не имело бы потребности в продолжении рода. А чего его продолжать-то, если это скучно, неинтересно и не приносит никакой радости? И только чувство любви дает необходимый стимул для продолжения рода.

Есть чувство страха. Естественная реакция организма на опасность. Организм в этом состоянии мобилизуется (если это не патологический страх, который парализует) и с наибольшим эффектом действует согласно обстоятельствам. И так далее.

Все человеческие чувства, если они не переходят грань патологии, эволюционно выгодны и способствуют выживанию.

Но какое же место в этой системе занимает чувство веры? Оно-то что дает? На первый взгляд, оно не только бесполезно, но даже и вредно. Может показаться, что оно совершенно не способствует выживанию!

И тем не менее чувство веры сохранилось в человеке на протяжении всей истории его существования. Несмотря на всю кажущуюся бесполезность и даже вредность этого чувства, человек пронес его в себе от первобытных времен до наших дней. Не отмерло это чувство, как ненужный атавизм.

Но почему? Посмотрите на людей, которые свято верили в другого человека. Но вот этот другой человек предал, обманул, оказался прохвостом или просто заболел и умер. Что стало с первым, верившим? Слезы, разочарования, депрессии, инфаркты и тоже преждевременный уход. Спрашивается: как можно было так свято верить? Ведь не зря простейшая житейская мудрость гласит, что верить другим опасно!

Поверившему кому-то или чему-то, кроме Бога, в нашем мире очень легко пропасть. Люди здесь борются за выживание и часто делают это за счет другого, только и желая выхватить кусок изо рта ближнего. «Не верь, не бойся, не проси» — не случайно этот незыблемый закон принят уголовным миром. В тяжелых условиях тюрем и лагерей только такая позиция позволяет выжить. Оказывается, в наше время без соблюдения этого правила невозможно выжить не только в тюрьме, но и во всем остальном мире.

Вспомните надпись на американском долларе: «Мы верим в Бога». Мало кто знает, что там воспроизведена лишь часть пословицы, да и то в искаженном виде. А полностью она звучит так: «Мы верим лишь Богу, прочие должны платить».

Значит, для чего-то оно нам очень нужно, это чувство веры?

Именно благодаря чувству веры в его истинном смысле человек и может вызывать к жизни те события, которые ему необходимы. И мы с вами уже можем начать учиться делать это. Именно этому и посвящены техники пятой ступени.

Я уже чувствую, какой у вас сейчас может возникнуть вопрос. «Как же так? Ведь если каждый примется рулить в свою сторону, никакого порядка не получится — будет сплошной хаос!»

Нет, и еще раз нет!

Представьте себе такую картинку в духе «Путешествий Гулливера». Перед вами огромный механизм, во много раз больше вашего собственного роста. Он уходит так далеко вверх, что вы не видите, где он там кончается и кончается ли вообще. А перед собой вы видите множество каких-то шестеренок, винтиков, непонятных для вас деталей, которые все время движутся, крутятся, перемещаются... Вы не знаете назначения этого механизма, вы не знаете принципов его работы. Но в процессе своих наблюдений за механизмом вы замечаете, что все его детали движутся не хаотично, а в их движении есть определенные закономерности. Вот эта шестеренка крутится по часовой стрелке, а вот эта — против часовой. Вот эта планочка качается с большой амплитудой колебаний, а эта — с меньшей. Вот эта непонятная деталька прыгает вверх-вниз, а вот эта — справа налево. И так далее.

Вы не знаете, кому и для чего это все нужно. Но после некоторых наблюдений вам приходит в голову мысль: а что, если аккуратненько зацепиться за вот эту шестереночку — и тогда она очень быстро и легко поднимет меня наверх. А там, наверху, есть полка, где лежат очень вкусные пирожные. И вы осуществляете свой план и вволю лакомитесь пирожными. А ведь раньше вы только мечтали об этом, но думали, что это для человека неосуществимо.

При этом заметьте: вы не сломали ни одной детальки этого непонятного механизма, вы не повернули ни одну шестеренку вспять — на это просто не хватило бы ваших физических сил. Да механизм даже и не заметил вас. А вы с его помощью легко исполнили свое желание. Потому что верно уловили направление движения и успешно в него вписались.

А уж если не уловите это направление, если будете пытаться продвинуться по механизму вопреки этому направлению — пеняйте на себя: затянет между шестеренками и раздавит.

Уловили аналогию с Мировыми Течениями? Вот так же и они: даже не заметят нас, пока мы четко следуем их естественному ходу. Но мы не сможем внести хаос в их четко отлаженный механизм.

Мы не можем поменять вот это движение механизма — эту реальность, уже проявленную, уже осуществившуюся. Но мы можем изменить ход событий, которые только еще закладываются, еще не успели осуществиться. Здесь есть свобода выбора. Не надо ломать механизм — он уже есть такой, какой есть. Но с помощью этого механизма можно осуществить разные варианты еще не осуществившихся событий.

Еще один пример. Ребенок укладывается спать. Ему хочется взять с собой в постель плюшевого мишку. Родители разрешают ему это. Ведь это событие ничего, по сути, не способно изменить в жизни семьи. А назавтра ребенок бросит мишку в кресло. А это что меняет в жизни семьи? Снова ничего. Ему разрешают и это. Ребенок получает от предоставленной ему степени свободы массу удовольствия: ведь ему разрешают по своей собственной воле распоряжаться своим ближайшим будущим и решать, как его провести — в обнимку с мишкой или без него. И родители довольны: ребенок спокоен, и дому ничего не грозит.

Мы можем воздействовать только на то, что еще не проявилось в мире, и поэтому своим воздействием мы как бы «расщепляем» значения происходящих событий, причем одна половинка их служит нашим целям, а другая — компенсирует это. То есть, если мы подняли гирю в 16 килограммов, то на эту же цифру увеличился наш вес, а для Земли, на которой мы стоим, ничего не изменилось. Этот механизм заложен в самой природе нашего мира и ждет того, чтобы мы им воспользовались.

Но может возникнуть и иная ситуация: проходит немного времени, ребенок подрастает, и теперь ему хочется взять в постель стянутые у папы спички. А вот это уже совсем другая ситуация! Если раньше ребенок не посягал на безопасность дома и семьи, то теперь он начинает нести в себе реальную угрозу! Родители на первый раз скажут· этого делать нельзя. Если это не поможет — на второй раз слегка

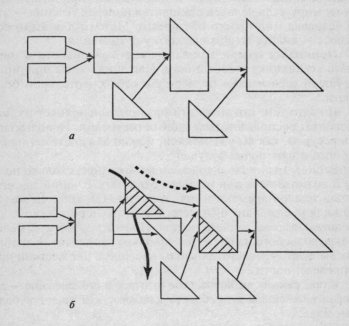

Рис. 12.
а. Ход Мировых Течений — значения многих событий сливаются, порождая новое.
б. Человек, расщепляющий значение событий, может воспользоваться только нужным себе компонентом и продолжить свой путь.
Он не влияет на итоговое событие и на ход Мировых Течений —
но стоит ему попытаться удержать такие значения, как он попадает в неумолимые шестерни механизмов Мира

отшлепают. А если и этого будет мало, последует уже серьезное наказание с лишением сладкого, а может, и грандиозной поркой.

Примерно так же ведут себя Мировые Течения по отношению к человеку. Пользуйся существующей реальностью себе во благо, но не посягай на то, чтобы ее поменять или причинить ей вред. Сунешь руку в шестеренки механизма — пеняй на себя.

Таким образом окружающий нас живой, разумный, наделенный сознанием мир создал надежнейшие правила «техники безопасности». Если человек может причинить вред этому миру, если человек становится поперек течения — этого человека мир просто обезвредит. Методы для этого есть разные — вплоть до физического уничтожения.

Понимаете теперь, как важно знать законы этого мира, знать эту технику безопасности. Нарушив их, вы причиняете ущерб себе и даже подвергаете себя смертельной опасности.

Но зато тем, кто знает эти правила и исполняет их, мир позволяет воспользоваться своими ресурсами. Использовать эти ресурсы, как вы уже поняли, можно для достижения желаемого и изменения будущего.

Вернее, мы не столько изменяем будущее, сколько получаем возможность при помощи Мировых Течений проникнуть в те слои времени и пространства, где заложен желаемый для нас вариант будущего. Изменить в реальности, как вы догадываетесь, ничего нельзя. Но можно выбрать. Ведь у будущего любого из нас есть несколько вариантов. Какой из них выпадет — зависит только от нас. Здесь нет жесткой предопределенности.

Итак, самому выбирать себе будущее и его значение — это вторая важнейшая потребность каждого, кто живет в большом мире.

Есть и третья потребность. Это потребность бросить со своего нового уровня взгляд в непостижимую высоту, где находится душа нашего мира, его сознание. Туда, где находится Бог.

Даже выйдя на новую ступень эволюции, мы все же невероятно далеки от высших причин всех явлений и событий реальности. Для понимания этой высшей реальности мы слишком малы. Может быть, после прохождения четвертой ступени вам уже кажется, что по сравнению с остальными людьми вы уже очень сильно выросли? Если сравнивать себя с остальными людьми — что ж, возможно, вы не так уж и далеки от истины. Но вот если сравнивать себя с Высшими Силами... Вот здесь мы все с вами просто инфузории туфельки, то есть простейшие, примитивнейшие существа. Помните об этом. Может быть, это поможет вам не впасть в гордыню.

Но повторяю еще раз: если мы даже не в состоянии охватить своим разумом процесс или явление в целом, то это не значит, что мы не можем продуктивно взаимодействовать с доступной нам частью явления или процесса. Ведь для этого нашего разума хватит! Человек создан разумным именно для того, чтобы, в отличие от животных и растений, он мог хотя бы частично прикоснуться к непостижимому. Мы можем взаимодействовать с непостижимым, даже не познавая его до конца! Но мы допущены к этому престолу. Мы избраны. И этим можно гордиться. В этом величие человека — он допущен, он избран, он призван к общению с Всевышним. Мы призваны к этому самой своей природой! Грех не воспользоваться тем, что нам дано как необходимость для нашего развития, как норма, как талант, который непременно надо реализовать.

Итак, этот торжественный момент настал. Вы готовы осуществить то, к чему вы призваны просто по факту своего рождения. Вы готовы осуществить то, ради чего вы родились на свет, жили и развивались.

А для этого сначала попробуем постичь хотя бы то немногое о Высшей Силе, что нам доступно.

Задумаемся вот о чем: как именно проявляет себя Высшая Сила в нашем земном мире? Если обратиться к Библии и к книгам по теософии, то оттуда можно узнать, что Высшая Сила проявляет себя главным образом тем, что совершает чудеса.

Но что такое чудо? Это не что иное, как нарушение вероятности событий, происшедшее по каким-то непонятным причинам. Например, по всем законам физики самолет, упавший с большой высоты, должен был разбиться. А он не разбился. И все остались живы. Чудо? Чудо.

Безнадежно больной человек должен был умереть — врачи не оставляли ему ни одного шанса. А он взял да и выздоровел. Тоже чудо.

А сколько случаев, когда люди необъяснимо выживали в самых невероятных условиях — проведя много суток в ледяной воде, или под обломками дома без еды и питья, или в одиночестве в глухом лесу...

Все это люди называют чудесами. На самом деле именно так работает Высшая Сила. Бог управляет миром, изменяя правила теории вероятности!

Надо быть готовым не упустить чудо. Случайно, ни с того ни с сего, чудеса не совершаются, впрочем, как ничто в мире не совершается случайно. Чудеса приходят к достойным.

Поэтому надо хоть немного приблизиться к пониманию путей Высшей Силы. Это нужно для того, чтобы не вмешиваться в естественный ход событий и не пытаться его изменить, когда это не в наших силах. Это нужно для того, чтобы быть готовым к тем моментам, когда нас захватывает могучая волна якобы случайных событий и совпадений, рожденная к жизни влиянием Высшей Силы.

Короче говоря, это нужно для того, чтобы, с одной стороны, не попасть в шестеренки мироздания и не быть размолотым ими, а с другой стороны, чтобы не упустить свои счастливые шансы.

Взять любой пример из великой русской литературы. Гениальные писатели — они на то и гении, чтобы чутко улавливать закономерности, действующие в мире, и показывать, как именно они работают. У замечательного нашего Льва Николаевича, графа Толстого, что ни история — все об этом. Анна Каренина совершила один неверный шаг, пошла против мировых закономерностей — и все, жизнь пошла в буквальном смысле слова под откос, под колеса поезда. Наташа Ростова натворила ошибок, но Всевышний ее отвел от несчастий, и она послушалась, не стала биться головой о стенку и продираться поперек закономерностей, приняла счастливую случайность в лице Пьера Безухова, не отвергла его, несмотря на его кажущуюся непривлекательность, не стала упорствовать в гордыне — и оказалась вознаграждена счастливой судьбой. Да вспомните, в каждой книге любого классика обязательно увидите что-то подобное.

Когда человек идет против воли Высших Сил — он идет и против себя, уничтожая самого себя. Когда же он вписывается в законы Высших Сил — он попадает на счастливую жизненную волну, которая приводит его к самым желаемым результатам. Надо только уловить эту волну, почувствовать ее — и не впадать в гордыню, не сопротивляться этой волне, твердя: «Нет, я сам знаю, как мне жить, я не хочу так».

Это иллюзия. Люди часто бывают незрячими, как слепые котята. Они бегут на запах мяса, не видя, что из этой миски уже хлебает какое-нибудь трехглавое чудовище, которое вместе с мясом заодно проглотит и тебя, даже не заметив этого. Они не знают, что только Всевышний, если доверишься его воле, отведет тебя от этого чудовища и приведет в теплый, чистый угол с миской вкусного молока и доброй мамой кошкой.

Высшим Силам сверху видно больше, чем нам. Там, где мы видим только кусок дома до второго этажа и часть ули-

Рис. 13. Человек, стремящийся вперед в лабиринте Мировых Течений, может идти только по пути, предначертанному Высшей Силой. Увидеть его — значит сделаться сопричастным

цы, прилегающей к нему, Высшие Силы уже видят, что нас ждет за углом улицы и что на нас падает с крыши.

Прикоснуться к закономерностям, по которым живут Высшие Силы, дотянувшись своим сознанием к тонким краям сознания Вселенной, нам как раз и позволяют методики пятой ступени ДЭИР.

Но не только вписываться в эти закономерности, улавливать эти счастливые волны помогут эти методики. Нам предстоит решить еще одну очень важную задачу.

Более или менее думающие люди устроены так, что они с юности начинают размышлять о смысле жизни. В социуме это часто встречается с усмешкой, и вопросы о смысле жизни почему-то называют детскими. Наверное, имеется в виду, что это глупые вопросы. Типично абсурдная оценка, так свойственная нашему социуму! На самом деле полноценно осуществиться в жизни может только тот человек, который не только в юности, но и всю жизнь не оставляет раздумий о смысле жизни. И только такому человеку этот смысл жизни рано или поздно раскрывается. А вот тот, кто называет эти вопросы детскими и глупыми, кто отмахивается от них и насмехается над теми, кто их задает, тот, как правило, в конце концов скатывается до полуживотной-полурастительной жизни, и начинается для него жалкое прозябание, делающее его ничтожеством, недостойным даже звания человека.

Так вот, в процессе постижения пятой ступени ДЭИР случится то, о чем вы давно мечтали, о чем вы, конечно же, размышляли с детства, — вам откроется смысл жизни. Смысл жизни не только вашей, но и всего человечества в целом. Вы сможете постигнуть и свою собственную жизненную задачу, только вашу личную, данную именно вам. Вы осознаете и задачу человека вообще — для чего он был явлен в мир. Вы сможете проникнуть даже в такую тайну тайн — понять, куда вообще идут все разумные существа в мире. Вы узнаете и о Карме Мира. Вы узнаете и о нашей собственной сверхзадаче.

Подчеркиваю: это доступно только для тех, кто добросовестно освоил все предыдущие четыре ступени, ничего не пропустив. И, конечно, преимущества имеют те, кто очно обучался на курсах. Они добиваются таких результатов, каких трудно достигнуть в одиночку, ограничившись лишь прочтением книг.

Ощутить и понять Высшую Силу нашего мира — это и есть третья, последняя потребность человека, вступившего на новую эволюционную ступень.

Во избежание непонимания еще раз хочу сказать вот о чем. В этой книге нет никакой идеологии. Здесь не навязываются стереотипы поведения и мнения о том, что хорошо, а что плохо. Поэтому, когда я говорю о том, что, взаимодействуя с Высшими Силами, надо знать их законы и вести себя так, а не иначе, я надеюсь, вы не воспринимаете это как попытку ограничения вашей свободы, предпринимаемую с моей стороны.

Ни на какое ограничение вашей свободы я не покушаюсь. Выбор как себя вести всегда остается за вами. Поэтому я ничего не навязываю вам, а только хочу при помощи специальных методик помочь вам самим (подчеркиваю: **самим**) разобраться в том, как нужно вести себя, как действовать, чтобы ваше поведение не входило в противоречие ни с вашей личной жизненной задачей, ни с задачами человечества вообще. Для того чтобы вы могли действовать во имя прогресса — своего собственного и всей человеческой цивилизации. И это очень важно, потому что поможет вам осуществить свою свободу выбора, несмотря на появившееся в последнее время множество учений, теорий, книг, так называемых «учителей» и «миссионеров», которые под видом самых благих намерений пытаются лишить человека свободы выбора своего собственного пути. В этом кроется большая опасность для всего мира. Такие «учителя» и «миссионеры» останавливают процесс эволюции человечества в целом. Ведь Свобода Выбора — это непременное условие полноценного осуществления человека на своем истинном пути, это краеугольный камень Пути Человека.

Осуществив эту потребность, мы далее сможем лишь только развивать то, что уже достигнуто нами. Ибо вслед за этим идет уже другая, еще одна, последующая ступень эволюции, время которой еще придет не скоро. Но и развить полученное — это грандиозная задача, которой нам хватит не на одну жизнь. Мы должны достичь счастливого развития всех скрытых способностей человека, раскрытия всех его резервных возможностей. Мы должны стать совершенными во всех отношениях, мы должны обнаружить в себе новые чувства и способности к еще более тонким ощущениям, которые позволят нам путешествовать по всем даже отдаленным пределам окружающего нас большого мира.

Долгий и счастливый период развития той эволюционной ступени, на которую мы уже вступили, должен преобразить человека и принести подлинный расцвет Земле и человеческой цивилизации. Осуществится ли это, очень во многом зависит от вас. Не позволяйте никому сбивать вас с пути эволюционного развития и прогресса!

Это и есть последняя потребность, которая стоит перед нами на новом этапе Дальнейшего Энергоинформационного Развития. Нам нужно стать достаточно совершенными, чтобы открыть в себе новые чувства, позволяющие существовать в дальних пределах большого мира и развиваться в них естественно — счастливо и бесконечно.

Наша последняя потребность состоит в том, чтобы ощутить и понять Высшую Силу нашего мира.

Глава 3

Опыт: навигация среди Мировых Течений

КАРТА, НА КОТОРОЙ НЕТ УКАЗАТЕЛЕЙ

Итак, нам предстоит ориентироваться среди Мировых Течений, чтобы не утонуть, не погибнуть в них, а напротив, приплыть с наибольшим комфортом именно туда, куда нам надо.

Может быть, вы знаете, что, оказавшись в море на большой глубине, когда до берега еще далеко, самое главное, с одной стороны, — не нервничать и не суетиться, а с другой — не впадать в апатию и прострацию. Будешь бултыхаться, беспорядочно барахтаться, размахивать руками и ногами — выбьешься из сил и утонешь. Прекратишь вообще шевелиться — тоже утонешь. Что же тогда нужно? Успокоиться, расслабиться и уловить направление движения волны, направление течения. Спокойно следуя течению, ты спасешься.

Умение ощущать течение и следовать ему — вот залог успеха и спасения не только в море обычном, но и в море жизненном.

Мы можем предугадывать движения, осуществляемые миром вокруг нас. Мы можем подчинять наше собственное движение этому мировому движению. И тогда мы в свою очередь получаем возможность влиять на окружающий мир.

Вы уже поняли, что Мировые Течения ничего общего не имеют с энергоинформационными паразитами. В отличие от энергоинформационных паразитов Мировые Течения ничего нам не навязывают. Они лишь предоставляют нам определенные физические возможности для действия в нашем мире — и наше право этими возможностями воспользоваться. Но если уж Мировые Течения не предоставляют нам таких возможностей — тут уж, извините, ничего не поможет. Методики второй ступени, как уже было сказано, в этом случае недейственны. Приводите себя в норму, развивайтесь, эволюционируйте и устраняйте свой конфликт с Мировыми Течениями. Вот все, что можно посоветовать в этом случае.

Но не всегда бывает легко определить, где поработали энергоинформационные паразиты, а где мы имеем дело с последствиями конфликта с Мировыми Течениями.

К примеру, вы бизнесмен, дела у вас идут вроде бы неплохо. И вдруг в один прекрасный день обнаруживается, что ваш деловой партнер, на которого вы возлагали большие надежды, оказался несостоятельным, в связи с чем вы теперь тоже на грани банкротства. Как тут быть, как выяснить, в чем дело? Ведь если это вмешательство энергоинформационного паразита — нет ничего проще: пройти первые две ступени школы ДЭИР, отсечь влияние паразита и применить методики на удачу и везение. Вот ситуация и нормализуется.

Но если это результат конфликта с Мировыми Течениями — все намного серьезнее и сложнее. Значит, надо существенно пересматривать что-то в своем поведении и менять его в соответствии с законами мира, в котором мы живем.

Для того чтобы разобраться, с какого рода ситуацией мы имеем дело, придется проанализировать причины, по которым деловой партнер оказался несостоятельным. Если он просто обманул вас, или охладел к сотрудничеству, или его обманули другие люди, заставившие заключить невыгодную сделку — словом, если к этому привели субъективные причины, связанные с другими людьми, то мы имеем дело, скорее всего, с действием энергоинформационного паразита. А вот если ваш партнер оказался несостоятельным, потому что прогорел банк, что, в свою очередь, было связано с падением акций на бирже вследствие того, что в Краснодаре не уродилось зерно из-за сильной засухи, — вот здесь уже обстоятельства явно объективные, от людей не зависящие. И это уже влияние процессов, происходящих на уровне Мировых Течений, то есть процессов внешних, надчеловеческих.

И еще одно отличие внешних крупномасштабных процессов — Мировых Течений — от воздействия энергоинформационных паразитов состоит в том, что Мировые Течения вовсе не создают персонально для вас ту или иную вероятность событий. Эти вероятности существуют постоянно и неизменно. Но все дело в том, что для разных людей они имеют разное значение. Попадая в одни и те же ситуации, люди ведут себя по-разному и воспринимают эти ситуации по-разному. То, что для одного хорошо, для другого плохо, и наоборот.

Можно представить себе Мировые Течения в виде карты города, по которому вы перемещаетесь. Вот в этом городе храм, вот ресторан, вот музей, вот банк, а вот тюрьма. Карта города вовсе не направляет вас в кутузку и не заставляет идти в храм или в музей. Тем более город не может поменять свою структуру так, чтобы взять да и подтащить тюрьму к вам поближе, чтобы вы прямо сразу в ней и оказались. Но вы сами можете оказаться на улице, которая ведет в храм, а можете оказаться на улице, которая ведет в тюрьму. И вы сами можете прийти либо туда, либо туда. Никто вас за руку не тащил и не заставлял делать это. Но вы выбрали именно ту улицу, которую выбрали. И она привела вас туда, куда привела.

Можно сказать, что в этом городе множество домов, улиц, магазинов, учреждений, музеев и так далее — и это все едино для всех жителей этого города, для всех эти заданные условия одинаковы. Точно так же и Мировые Течения не создают персонально для вас каких-то обстоятельств, не подводят к вам ситуации, где вам будет либо хорошо, либо плохо. В мире происходит множество событий, и они едины для всех. Но одних людей дорога среди этих событий ведет к удаче, а других — к поражению. Просто одни сумели этими событиями воспользоваться наилучшим образом, сумели выбрать наилучшую дорогу, а другие не сумели. Вот и получи-

Рис. 14. Здесь все как-то уж очень просто — но ведь и мы с вами можем
видеть надписи на каждом повороте своей судьбы

лось, что одна и та же комбинация событий в мире для разных людей имеет разное значение.

Можно привести простой пример. Сейчас многие жалуются, что мы живем в ужасное время, что приходится бедствовать, страдать и терпеть лишения и так далее. И тем не менее даже в это «ужасное» время есть люди, которые процветают, радуются жизни и не бедствуют. Причем это вовсе не всегда мошенники, не те, кто хитростью и обманом наживается за счет других, нет. Это нормальные люди, живущие честным трудом и в ладу со своей совестью.

И заметьте, такие вполне благополучные и удачливые представители человечества есть во все времена и в любой обстановке, даже самой неблагоприятной. Значит, дело все же не в обстановке, не в ситуации в стране. Дело в чем-то другом. В чем же? Ну например, в том, что люди, ругающие все и вся и жалующиеся на жизнь, настроены не на эволюцию, не на прогресс, а на разрушение. Они, сами того не зная, выбирают в жизни ту «улицу», которая ведет их к разрушению, — ведь они и сами деструктивны. А те, кто настроен на эволюцию, на саморазвитие, на прогресс даже в самые тяжелые времена, выбирают «улицу», ведущую к благополучию и процветанию). Они просто интуитивно вписываются в соответствующее направление Мировых Течений!

Такими и становятся освоившие ДЭИР. Учился у нас еще во времена проекта один молодой человек. В юности его считали неудачником, не приспособленным к жизни растяпой. Однокурсники над ним посмеивались, говорили, что с таким характером в жизни не пробиться. В самом деле, они-то, как им казалось тогда, старались взять от жизни все — просто выхватывали куски пожирнее зубами и когтями: цеплялись за выгодные знакомства, старались удачно жениться, отхватить престижную должность. Мой же ученик в это время предавался мечтам, влюблялся, писал стихи, наслаждался природой. Он в это время, сам того не зная, нащупывал свой путь среди Мировых Течений. Тогда как его друзья просто лезли напролом, невзирая ни на какие пути и окончательно сбивая себя с дороги. Но тогда они этого еще не знали. Они думали, что они правы.

После окончания института этот человек и впрямь оказался в некотором вакууме. Друзья делали карьеру, брали от жизни все, а он сидел на скромной зарплате, на незаметной должности и продолжал жить в своем внутреннем мире. Он получил нужные знания для дальнейшего движения. Он, в общем-то, и сам двигался в нужном направлении. Обучение помогло ему обрести уверенность, что прав он, а не его друзья, помогло сориентироваться по «карте» Мировых Течений.

Сейчас сама жизнь подтвердила его правоту. Его друзья потеряли все свои должности, «выгодные» браки распались. Большинство из этих людей сейчас откровенно деградируют, оставшись без работы и без денег и будучи не в состоянии выйти на свой собственный путь, где были бы и работа, и деньги. Наш с вами знакомый стал известным писателем. Он занимается любимым делом, он внутренне свободен, он материально обеспечен и счастлив в личной жизни. При этом он так и не научился «устраиваться», «брать от жизни все» методами, принятыми в социуме. Эти методы не нужны, они — путь в никуда. Он просто научился наилучшим образом ориентироваться среди Мировых Течений.

Каждый человек, научившийся ориентироваться среди Мировых Течений, может определить, что ждет его персонально в связи с тем или иным стечением обстоятельств, с той или иной ситуацией или событием. Допустим, можно определить, какая область деятельности будет перспективной именно для тебя. Ведь на свете существует множество областей деятельности — их набор един для всех людей. А вот персональное значение — разное. На этой «карте» нет указателей: пойди туда — там будет хорошо, а туда не ходи — там плохо. Этот указатель — персональный для каждого человека. Но люди об этом не знают. Они ведут себя именно так, как если бы указатели были одинаковы для всех. В вышеприведенном примере с моим учеником его приятели вели себя так, как будто существует единый для всех указатель: иди в банкиры — там хорошо, не ходи в писатели — там плохо. Мой ученик не пошел по этому указателю — пошел по своему и оказался прав. А его друзей обманул этот выдуманный ими (вернее, навязанный социумом) всеобщий указатель к мнимому благополучию.

Если какая-то область деятельности неперспективна для тебя, это еще не значит, что она неперспективна и для всех других людей. Она непременно останется перспективной для других или в будущем станет такой для кого-то. Это связано с тем, что сознания людей на уровне собственных нужд и понятий не совпадают друг с другом. И каждый только сам может определить свой личный путь.

Совокупность всех событий, ситуаций, стечений обстоятельств в мире на первый взгляд может показаться хаосом. Тем более что, как мы сказали, на всех этих дорогах, ведущих к тем или иным ситуациям и событиям, нет общих для всех указателей. Но они являются хаосом, только если подходить к этой совокупности событий чисто статистически: отмечать, сколько раз вы провалились в яму, а сколько раз обошли ее стороной. То есть мир является набором хаотических событий только на внешнем плане. В пространстве нашей внутренней реальности наше сознание способно вычленить из якобы случайных событий четкие закономерности. Мы можем увидеть, по каким законам меняется значение того или иного события для нас персонально. Ведь само событие, сам факт, сама внешняя реальность, как вы уже поняли, не меняются. Но они разные для разных людей. Если на внешнем плане нет указателей, то на внутреннем плане, субъективно для каждого человека, эти указатели есть.

Вычленив эти свои собственные указатели, эти свои собственные закономерности, можно совершенно по-другому строить свое поведение и во внешнем мире. Можно лавировать среди вероятностей, словно это давно нанесенные на карту речные мели или, напротив, нужные нам течения, русла и дороги.

И мы в любой момент сможем воспользоваться этой картой.

Один из моих знакомых научился так мастерски владеть это «картой» своей внутренней реальности, что легко предсказывает события. Он не просто интуитивно ощущает предстоящее событие — эти интуитивные данные выводятся у него на уровень сознания и оформляются в мысли и слова. Сначала он предсказывал только события своей жизни. Это очень помогало не только в серьезных делах, но и в мелочах. Например, он мог сказать жене: «Знаешь, завтра к нам нагрянут гости, какие-то родственники каких-то знакомых, которых мы знать не знаем. Они могут ворваться в дом и устроить скандал. Можно, конечно, просто их выгнать взашей. А можно вообще избежать ситуации. Давай уедем за город. Давно собирались прогуляться». Они уезжали за город, где прекрасно проводили время, а вечером, вернувшись домой, узнавали от соседей, что весь день около их порога околачивалась какая-то странная компания людей с мешками и сумками, которые приехали чем-то торговать, они громко ругались и кричали, что им негде остановиться. А потом ушли восвояси.

Не так давно я узнал, что он начал предвидеть и события в жизни других людей, научившись ориентироваться даже в их внутреннем пространстве. Одного нашего общего знакомого — еще не слишком опытного в деле предвидения — он просто спас от смерти: сказал, что не нужно лететь в этот день на этом самолете (самолет разбился). Другому помог избежать банкротства: сказал, что не нужно иметь дело с этим банком (банк через месяц рухнул).

Вывод: предстоящую последовательность событий можно вычленять из кажущегося хаоса и беспорядка.

Сориентировавшись по «карте событий», научившись вычленять там свои пути, мы можем в зависимости от этого грамотно строить свое поведение на внешнем плане.

Давайте научимся это делать.

НЕМНОГО О ПОРЯДКЕ И ХАОСЕ

Весь наш мир есть не что иное, как комбинация упорядоченности и случайности, порядка и хаоса. Это связано с тем, что весь мир подчиняется действию двух основных сил: созидательной и разрушительной. Невозможно созидание без разрушения. Чтобы построить новый дом, надо сначала разрушить старые, ставшие ненужными постройки. Поэтому, чтобы мир существовал, в нем необходимо единство созидательных и разрушительных сил.

Но наш мир устроен так, что разрушительные процессы в нем очень часто идут сами собой, без вмешательства со стороны человека. А вот созидательные процессы требуют определенных усилий. Если дом не ремонтировать, он разрушится сам. А чтобы он не разрушился, нужно поддерживать его, прилагать усилия — заниматься созиданием.

В этом одна из основных функций человека: упорядочивать окружающую среду. Кстати, упорядочивать нужно и самого себя, чтобы процессы разрушения не взяли верх. И, осваивая систему ДЭИР, мы с вами занимаемся не чем иным, как упорядочиванием себя, созиданием себя.

Вся наша сознательная деятельность в материальном мире сводится, в сущности, тоже к процессу упорядочивания. К примеру, вокруг нас существует множество вещей. Нам в нашей жизни не нужны все эти вещи одновременно. Мы выбираем из них нужные нам, упорядочивая таким образом пространство вокруг себя. Это похоже на то, как если бы мы купили телевизор, который показывает все программы одновременно. Но смотреть все программы сразу невозможно, толку от этого никакого, и в голове сплошной сумбур после такого просмотра. И тогда мы понимаем, что нам нужно выбирать какую-то конкретную программу из этого множества.

Выбирая нужные для себя вещи (не только в материальном, но и в более широком смысле), человек становится своеобразным концентратором упорядоченности вокруг себя. Но по закону сохранения энергии, как вы знаете, если где-то чего-то прибыло, то в другом месте столько же убыло. Поскольку общее соотношение хаоса и порядка в мире остается неизменным, то, если вы концентрируете порядок рядом с собой, вокруг вас становится больше неупорядоченности.

К примеру, вы решили построить дом, то есть упорядочить свое жизненное пространство. Для этого вам придется пойти в лес и позаимствовать у леса стройматериалы. То есть придется рубить деревья. При этом вы можете не знать, что в лесу существует свой собственный порядок — там соблюден необходимый экологический баланс, количество птиц таково, чтобы число вредных насекомых не превышало допустимых границ, и так далее. Но вы своим появлением в лесу с пилой и топором вносите в эту стройную систему определенный хаос. Вы же рубите деревья безо всякой системы, не думая о том, где ваши действия пойдут на пользу лесу, а где во вред. В итоге оказывается, что птицам остается меньше возможностей свить гнездо, из-за этого их количество уменьшается, увеличивается рост вредных насекомых и в лесу нарушается существовавший там порядок. Таким образом, упорядочив пространство рядом с собой, вы внесли некоторый хаос в более отдаленное пространство.

Что бы ни делал человек и в каких бы масштабах он это ни делал, он всегда изменяет соотношение хаоса и порядка вокруг себя.

Вот, например, имеется некое месторождение нефти. Вокруг этой нефти — сплошной бесплодный сланец. И в этом уже есть определенный порядок: здесь есть нефть, а здесь ее нет. Но вот пришел человек и извлек нефть на поверхность. Он нарушил существовавший порядок, создав на его месте хаос.

Но затем из части добытой нефти получилось топливо, а другая часть была использована для химической промышленности. Сколько всего нового и необходимого людям было создано благодаря этой нефти! То, что раньше было нефтью, стало теплом для людей, стало огромным количеством изделий — полиэтиленовыми пакетиками, пластмассовыми деталями и посудой, нефтяными смолами и множеством других необходимых вещей. Причем благодаря этой нефти возникли даже вещи, стоящие гораздо выше по уровню упорядоченности, чем нефть, — к примеру, печатные платы и микросхемы. Это все создало определенную упорядоченность в жизни людей. Так из хаоса снова возник порядок.

Да, но все сожженное топливо превратилось в углекислый газ, который безо всякого порядка рассеялся по миру. А еще через некоторое, весьма непродолжительное в геологических масштабах время все, что было произведено при помощи нефти, подверглось разрушению, продукты которого равномерно рассеялись по земле и в ее атмосфере. Порядок снова превратился в хаос.

Но тем не менее не все пропало без остатка, что было создано благодаря той нефти. К примеру, остались книги, остались прогрессивные достижения техники и так далее. То есть в жизнь многих людей благодаря этому многие десятилетия будет вноситься необходимый им порядок.

Вот так хаос перетекает в порядок, а порядок в хаос. Это происходит постоянно, каждый миг нашего существования.

В нашем материальном мире мы зависим от порядка. Но насколько скучна была бы жизнь, если бы в ней не было места неупорядоченности, «непричесанности», то есть случайности. Ведь как неинтересно жить, когда все в жизни известно заранее! Большинство людей недооценивают роль случайности. А зря.

Жить без случайностей, без свободы выбора, без лавирования в мире вероятностей — это означает не жить, а вести жалкое существование, все время тянуть одну и ту же лямку, не надеясь на разнообразие. В самом деле, чем отличается рутинная нетворческая работа от подлинной жизни? Именно тем, что вся она состоит из последовательности стандартных операций. Вы знаете, что вот эту гайку надо завернуть, вот эту деталь заточить, а вот этот шуруп закрепить. В лучшем случае вы можете чуть разнообразить процесс, подправляя то, что уже сделано: чуть лучше подточить деталь, более правильной формы ее сделать и так далее. Никакой радости творчества, никаких «зигзагов» и нестандартных ходов. То есть не жизнь, а прозябание.

Но иногда бывает легче смириться с такой полной предсказуемостью, чем знать, что досадная случайность может испортить тебе все.

Вспоминаю, как приятельница моей сестры, научный сотрудник, решила устроиться на работу в престижный институт. Она задействовала для этого все мыслимые и немыслимые способы достижения цели. Она развернула бурную деятельность по поиску людей, которые могут познакомить ее с именитым ученым, академиком, рекомендации от которого будет достаточно для поступления на любую должность. Она знакомилась, влезала в доверие, требовала рекомендации для знакомства со следующим человеком, более близко стоящим к академику. Таким образом выстроилась целая цепочка из множества людей, каждый из которых становился для нее своеобразной ступенькой на лестнице, ведущей к академику.

Наконец о ней замолвили словечко лично корифею. Корифей ознакомился с научными трудами предприимчивой леди. И в общем, после некоторого раздумья, дал согласие замолвить за нее слово, естественно, с условием предварительного личного знакомства.

И вот день заветной встречи назначен. Дама готовилась к ней заранее, тщательно продумывая детали туалета, прически и выражения лица. Она даже репетировала перед зеркалом, как она будет вести себя и разговаривать с академиком. Подготовила все ответы на все возможные вопросы.

И вот она, тщательно одетая и причесанная, при полном параде уже стоит у двери своей квартиры, готовая отправиться к академику. Она хочет открыть дверь, но... О ужас! Дверь не открывается! Видимо, заклинило замок. Дама бьется над замком десять минут, пятнадцать минут, еще надеясь на успех. Через полчаса становится ясно, что усилия бесполезны. Она звонит в службу спасения, в милицию и еще по всем номерам, какие только приходят в голову, требуя, чтобы ее срочно спасли! Никто не реагирует. Наконец она находит телефон какой-то коммерческой службы, которая помогает в таких ситуациях. Служба прибыла через час, открыла дверь, застала растрепанную женщину в мятом костюме, которая заливалась слезами.

Встреча была сорвана. Но дама была не из тех, кто так легко отступит. Кое-как приведя себя в порядок, она на такси помчалась к академику. Секретарша встретила ее ледяным взглядом, сказав, что академик десять минут назад отбыл в аэропорт, откуда улетает на полгода на работу в США, и что она может больше сюда не приходить, так как академик не терпит необязательности, он и так целый час прождал ее в своем рабочем кабинете, вместо того чтобы быть дома и спокойно собираться в дорогу.

Настырная дама и после этого не потеряла надежды. Она решила во что бы то ни стало пробиться к академику, когда он вернется.

Но случилось непредвиденное. Академик не вернулся. Получив выгодное предложение о работе, он остался в Америке на более длительный срок и, кажется, возвращаться не собирается до сих пор.

Вот так досадная случайность порушила все надежды на удачную карьеру. Сейчас эта дама, по слухам, работает секретаршей в какой-то фирме — точно не знаю, наша семья потеряла ее из виду. Но наукой она не занимается — это точно, и в других сферах тоже себя не нашла.

Досадная случайность, мелочь, глупость доросла до размеров злого рока. Бывает и так.

Полная предсказуемость — плохо, но полная непредсказуемость и набор сплошных случайностей безо всякого намека на порядок — тоже совершенно непривлекательные вещи. Многие из нас испытали это на себе. Когда утром просыпаешься и не знаешь, сколько сегодня стоит хлеб, остановился уже твой завод или еще работает, получишь ты зарплату или уже на нее не надеяться. Не случайно у китайцев есть крылатое выражение, смысл которого в том, что никому не пожелаешь жить в эпоху перемен. Эпоха перемен — это и есть время, когда старый порядок уже разрушился, а новый еще не возник, и потому вокруг царит сплошной хаос. И вот приходится тратить массу сил и драгоценное время своей жизни на то, чтобы пытаться как-то предвидеть случайности, преодолевать последствия этой непредсказуемости, но у обычного человека из этого, как правило, ничего не выходит.

Обычные люди не могут нормально себя чувствовать в ситуации, когда все непредсказуемо. Радость, гармония, интерес к жизни проявляются тогда, когда в целом события идут по какому-то упорядоченному, стабильному руслу, а случайности и непредсказуемость наблюдаются в мелочах. Вот, например, вы точно знаете, что ваш завод завтра не закроют, что цены не вырастут, что зарплату вы получите в срок, и вообще в мире все спокойно, не будет ни катастроф, ни войны. А потому можете в целом ощущать состояние стабильности. Но при этом вы знаете, что можете встретиться с одной девушкой, а можете с другой. Можете пойти в гости к приятелю, а можете в кино. И это вносит необходимую непредсказуемость и разнообразие в вашу жизнь.

А теперь внимание: то, о чем мы только что говорили, имеет отношение только к жизни обычных людей, с обыденным сознанием. Они действительно не могут жить в эпоху перемен — от этого у них случаются инфаркты. Они не могут сориентироваться в случайностях и обойти нежелательные события — они спотыкаются об эти случайности и падают.

Это происходит потому, что они видят, образно говоря, только то, что у них под ногами. А под ногами у них хаос из случайностей, и нет никакой карты, позволяющей ориентироваться в этих случайностях.

Человек, доросший до уровня Мировых Течений, видит совсем другую картину. Когда теряются ориентиры в обыденной жизни, когда все кругом кажется хаосом и беспорядком, выход только один — выйти на более высокий уровень и увидеть там высший порядок, управляющий миром и не заметный обычным людям снизу.

Выйдя на этот высший уровень, можно и даже нужно сделать так, чтобы все случайности, которые происходят с нами в жизни, не только не тормозили, а наоборот, подталкивали бы ход событий в нужную для нас сторону.

Только что мы говорили о том, как живет в мире хаоса и порядка обычный человек. Такой человек сам обладает неподготовленным, неупорядоченным сознанием. Поэтому он не может выйти на более высокий уровень и увидеть высший порядок во всем том, что он считает хаосом. Такой человек не может увидеть систему в наборе случайностей. Он не получает доступа к пониманию этого высшего порядка, потому что, образно говоря, у него нет ключа для этого. Нет ключа, который подходил бы именно к этому замку именно этой двери. Если он и пытается разобраться в смысле происходящих с ним случайностей, то не получает правильного ответа. Это похоже на ситуацию, когда спрашивающий сам не понимает, о чем он спрашивает, не умеет задавать конкретных вопросов, а потому и получает несоответствующий ответ. Яркий пример такого «диалога глухих»: «Петька, приборы!» — «Пятьдесят!» — «Чего „пятьдесят"?» — «А чего „приборы"?».

Внимание! Я сейчас рассказываю вам о сердцевине движений нашего мира, о той его природе, которая может быть с пользой постигнута уже подготовленным разумом, например разумом, прошедшим уже все четыре предыдущие ступени ДЭИР, потому что сознание неподготовленное слишком неупорядочено само и оно не сможет систематизировать случайности.

Что же такое, собственно говоря, случайность в восприятии людей подготовленных, выросших до уровня взаимодействий с Мировыми Течениями?

Все очень просто. То, что называют хаосом, на самом деле хаосом не является. То, что называют хаосом, это на самом деле причудливая смесь порядка и случайности, тоже подчиняющаяся определенным законам.

Но что же тогда на самом деле хаос и что же тогда на самом деле порядок? Давайте разберемся с этими фундаментальными понятиями. Разобраться с этим необходимо, потому что мы-то как раз, как и все люди, живем на тонкой грани между хаосом и порядком Мы живем на размытой границе между этими двумя средами Можно сказать, что мы движемся в нашей жизни по очень тонкой тропинке, где справа пропасть, а слева вертикальная скала. Можно сказать и по-другому: мы словно моряки, рассекающие хаос волн и оставляющие за своим судном геометрически прямой, упорядоченный кильватерный след.

Начнем с определения порядка. Порядок — это последовательность событий, которая поддается описанию конкретной математической формулой, не допускающей неопределенности. Например, мы бросаем игральный кубик. Бросаем и бросаем его до бесконечности долго. И на нем, сколько бы мы ни бросали его, все время выпадают очки в определенной последовательности. Например, в такой: 1, 2, 3, 4, 5, 6, 1, 2, 3, 4, 5, 6... И так до бесконечности. Это — порядок.

Если последовательность несколько другая, к примеру, 1, 2, 3, 1, 2, 3, 6, 5, 4, 6, 5, 4, это тоже порядок, но другой. И если выпадает 1, 6, 2, 5, 3, 4, 1, 6, 2, 5, 3, 4, то это тоже порядок.

Люди постоянно стремятся привести свой мир именно к такому виду. Они хотят, чтобы за одной определенной цифрой всегда следовала другая определенная цифра, за ней третья и чтобы не вмешивалось никаких посторонних цифр, не возникало других вариантов. То есть чтобы за определенным действием всегда следовало предсказуемое последствие. Например, если мы идем в магазин, мы хотим быть уверенными, что мы там купим картошки. Мы хотим точно знать, что мы достигнем именно этого результата и что не будет какого-то другого варианта: например, шел в магазин за картошкой, но картошки купить не смог, а вместо этого тебя там оштрафовали. Или пошел за картошкой, а в магазине тебя ударило током.

Порядок не предполагает таких непредсказуемых элементов. Порядок состоит только из предсказуемо повторяющихся элементов. Когда мы включили утюг, он нагрелся и мы выгладили белье — это порядок. Когда мы включили утюг, а он сказал: «Послушайте последние известия» — это отсутствие порядка.

Теперь перейдем к определению хаоса. Хаос — это противоположность порядку, то есть абсолютная неупорядоченность. Допустим, мы подбрасываем монетку и у нас выпадает решка-орел. Бросаем снова и снова. В случае порядка и дальше выпадало бы решка-орел. Но неупорядоченность — это порядок с точностью до наоборот. Значит, теперь выпадет орел-решка.

Но что же в таком случае получается? Получается, что неупорядоченность тоже предсказуема! Неупорядоченность — это тоже своего рода порядок! Только чтобы предсказать неупорядоченность, мы должны применить несколько иной способ рассуждений. Мы должны точно знать: если в прошлый раз было так, значит, в следующий раз будет точно по-другому. К примеру, в случае с порядком мы точно знаем, что утюг, сколько его ни включай, будет гладить белье. В случае неупорядоченности мы должны знать: раз он в прошлый раз гладил белье, значит, в этот раз будет петь песни (см. рис. 15 *а, б*).

Таким образом, мы видим, что, если бы в нашем мире царствовал полный порядок, мир был бы абсолютно предсказуемым. И если бы в нашем мире царствовал полный беспорядок, мир тоже был бы абсолютно предсказуемым. В первом случае человек всегда мог бы знать: раз в этом месяце мне дали пенсию, значит, и в следующем дадут. Во втором случае человек рассуждал бы так: раз в этом месяце дали пенсию, значит, в следующем не дадут. А раз в следующем не дадут, значит, еще через месяц дадут.

Вы уже поняли, что в нашем мире ни полного порядка, ни полной неупорядоченности не встречается никогда. Получается, что ни то ни другое не предполагает случайностей и абсолютно предсказуемо. Это то же самое, как если бы были люди стопроцентно плохие и стопроцентно хорошие. И все всегда знают, чего от них ждать и как себя с ними вести. Стопроцентно хороший точно не причинит зла и сделает добро. Стопроцентно плохой точно ничего хорошего не совершит, а поступит с тобой плохо. Значит, надо сторониться плохого и дружить с хорошим. Все просто и понятно. Вот так же, имея дело с абсолютной неупорядоченностью, можно было бы руководствоваться логикой «от противного» и непрерывно преуспевать.

Но в нашем мире в таком стерильном виде не существует ничего. Мы ведь живем в очень тонкой прослойке бытия, где встречаются грани противоположностей. И вот на этой грани происходит смешение хаоса и порядка. И вот здесь-то и начинаются настоящие случайности и непредсказуемые вещи. И вот эта смесь неупорядоченности и элементов порядка, которую люди неправильно называют хаосом, как раз и не поддается никакому математическому определению. Формулу вывести невозможно!

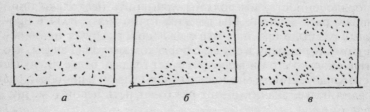

Рис. 15.

а, б. Молекулы газа равномерно распределены по объему — это хаос. Молекулы газа собраны в одной половине сосуда — это упорядоченность

в. Полное отображение нашего мира — порядок переплетен с хаосом

Можно сказать, что люди живут в мире из смеси абсолютной неупорядоченности и элементов порядка, расположенных в неупорядоченности неупорядоченным же образом (см. рис. 15 *в*).

Сложно? Ничуть. Все как раз очень просто и напоминает то, что мы видим сейчас в нашей стране. Несколько раз пенсию, к примеру, выплатят в срок (порядок), в следующий раз — задержат на неизвестное время (хаос), зато потом еще несколько раз снова задержат на то же время (другой вид порядка), а потом возьмут и заплатят в срок (снова нарушение только что установившегося порядка, то есть хаос). Следовательно, жизнь человека — это смесь порядка и случайности.

Мы уже говорили с вами о том, что хаос, разрушения — это, в сущности, естественное состояние мира. Если ничего не делать, не прилагать созидательных усилий, все в мире постепенно разрушится. Мы говорили и о том, что сам человек стремится упорядочить свой мир. Он стремится — да не всегда ему это удается. Иногда удается, иногда нет. То есть человек не хозяин этих процессов. Он далеко не всегда может создать порядок по своей воле.

Но откуда же тогда в нашем хаотично разрушающемся мире все же берутся элементы порядка? Человек их по своей воле привнести не может, да и существовали они задолго до появления человека, иначе просто никакой эволюции не было бы.

Вот это и есть то самое главное, на что я хочу обратить ваше внимание. Это то понимание, которое необходимо нам для дальнейшей ориентировки.

Дело в том, **что вкрапления порядка в хаос обусловлены движениями нашего бесконечно большого одушевленного мира. Порядок вносится не чем иным, как скоординированными движениями живого мира, иначе называемыми Мировыми Течениями.**

Но почему тогда эти вкрапления порядка расположены в хаосе неупорядоченным образом? А это уже обусловлено бесконечной сложностью протекающих в нашем мире процессов.

Поэтому смесь хаоса и порядка причудлива и неравномерна. Например, на планете Земля есть зоны, где преобладает хаос и не так много порядка, и таких зон очень много, можно сказать, что они занимают большую часть поверхности Земли. А есть так называемые «места силы», где порядок преобладает над хаосом. Таких мест не так уж и много, и расположены они на земной поверхности совершенно неравномерно, безо всякого порядка. Место силы — это место, где особенно сильна и сконцентрирована природная энергетика Земли. Такие места издревле почитались шаманами и знахарями.

В различиях между обычным местом и местом силы по уровню порядка и хаоса вы можете убедиться сами (если вам, конечно, посчастливится найти место силы). Для этого потребуется игральный кубик, ручка и бумага. Бросьте кубик по сто раз сначала в обычном месте, затем в месте силы. Записывайте результаты. Затем сравните эти результаты. Посчитайте, сколько раз выпало там и там каких-то определенных элементов упорядоченности. К примеру, сколько раз выпала последовательность очков 1, 2, 3 в обычном месте и в месте силы. Вы будете изумлены, увидев, что эти показатели отличаются в обычном месте и в месте силы иногда в десятки раз! Причем эти результаты повторяемы. Сколько бы раз вы ни проводили этот эксперимент, соотношение сохранится.

Такое ощущение, что порядок этот поддерживается какой-то разумной силой, не правда ли? Так оно и есть. В обычном, энергетически слабом месте влияние Мировых Течений заметно меньше и порядок не поддерживается ими. В энергетически сильном месте как раз наиболее выражены проявления Мировых Течений. Сила, привлекаемая к этому месту, и упорядочивает последовательность выпадающих на кубике очков.

В связи с этим задумаемся еще раз над тем, что же такое, собственно говоря, Мировые Течения и почему мы называем их разумной силой.

Да потому, что Мировые Течения есть не что иное, как мыслительные процессы Вселенной.

Вы ведь уже прекрасно знаете, что мысль материальна, и сами не раз убедились в этом на практике, посылая свои мысли другим людям в виде потока энергии и информации. Но мысли человека — это просто тоненькие ручейки по сравнению с мыслями Вселенной. Представьте себе, какой мо-

щью и силой обладают эти гигантские энергоинформационные потоки — результаты мыслительной деятельности всей
Вселенной! Опасно вставать на пути такого потока. Смер-
тельно опасно пытаться плыть в нем против течения.

Мировые Течения — мысли Вселенной, результат ее внутренней жизни. Мысли Вселенной движутся непрестанно. И
любой процесс, проходящий там, на высших уровнях, несколько по-иному отображается в нашем материальном мире. На наш земной мир, естественно, влияют мысли Вселенной, они вносят в наш мир изменения. И изменения эти вно-
сятся посредством событий, словно бы случайных. Но мы
можем анализировать происходящие вокруг нас случайности.
Потому что наше сознание, при всей несопоставимости его
масштаба с Мировыми Течениями, все же является инструментом той же природы!

Но элементы упорядоченности, привнесенные в наш мир
Мировыми Течениями, не затрагивают всех событий и, следовательно, неизбежно сталкиваются здесь с проявлениями
хаоса. Не забывайте: мы все же живем на той грани бытия,
где встречаются хаос и порядок. Отсюда и получается причудливая смесь порядка и беспорядка, которую наблюдают
в нашем мире обычные люди.

Но, поднявшись на новую ступень, как это уже сделали
вы, можно прикоснуться сознанием к Мировым Течениям и
попытаться принять правила игры, которые они создают. И
начать жить в соответствии с этим порядком. И тогда этот
порядок вы привнесете и в вашу земную жизнь. А значит, перестанете зависеть от хаоса и случайностей. У вас появятся
свои законы жизни, неведомые для обычных людей. Они не
будут понимать, как вы находите в жизни ту тропинку, которая ведет вас только от хорошего к еще лучшему. Они не знают, что эта тропинка хорошо видна тем, кто вышел на уровень Мировых Течений. Тогда как все оставшиеся внизу не
видят этой тропинки, а видят лишь камни, рытвины и уха-
бы, о которые и спотыкаются.

Внизу — смесь хаоса и порядка, называемая земной жизнью.

Вверху — различимая дорога, и, если идти по ней, можно упорядочить и свою земную жизнь, оставив себе часть
земных случайностей и непредсказуемостей для развлечения.

Только так можно достичь недосягаемой для большинства мечты, о которой мы уже говорили: чтобы жизнь в целом была стабильной и накатанной колеей, но чтобы были в ней мелкие разнообразные и приятные случайности. Пытаясь в лоб воздействовать на материальный мир, меняя его и благоустраивая, этой цели никогда не достигнешь. Сколько ни зарабатывай денег, ни строй домов, сколько ни покупай машин с бронированными стеклами, сколько ни нанимай телохранителей, — все равно ты ни от чего не застрахован. И только Мировые Течения — законы мира случайностей — дают гарантии, если ты вписываешься в них.

Притом эти мыслительные процессы Вселенной, в общем-то, нас не касаются, а просто идут своим чередом. Но вся штука в том, что люди, доросшие до этого уровня, получают право и возможность «подслушать» мысли Вселенной. И воспользоваться подслушанным для обустройства своей жизни.

А теперь вспомним то, о чем мы уже говорили: имеют значение не события сами по себе, а смысл события лично для вас.

Наше индивидуальное взаимодействие с Мировыми Течениями порождает определенные поля значений. Так что для простоты понимания можно считать, что Мировые Течения как раз и мыслят не фактами, не событиями, а значениями событий. То есть у Мировых Течений вы можете «подслушать» информацию не о событиях окружающего мира, а о внутреннем смысле и значении этих событий — смысле и значении лично для вас, для вашего сознания.

Любое событие, случайное на первый взгляд, для сознания, то есть субъективной реальности, имеет свое значение. Причем для каждого сознания — свое значение. Это очень важно! Если вдуматься, то значение — это вообще очень субъективная вещь. То есть любой факт, любое слово, любой объект внешнего мира в принципе имеет значение только потому, что есть чье-то сознание, воспринимающее и анализирующее его.

Именно поэтому из любой картины, из любой книги, из любого события каждый вынесет что-то свое. Все, кто читает книги по системе ДЭИР, находят в них что-то свое. Поэтому невозможно предположить, что все читатели, освоившие эту серию книг, приобретут совершенно одинаковые, ничем не отличающиеся знания. Нет, у каждого будет свое собственное, его личное знание. Вы, наверное, часто замечали, как разные люди умудряются видеть в событиях и фактах окружающей жизни то, что им больше хочется увидеть, то, чего они больше ждут, то есть то, что соответствует процессам, происходящим в их сознании? К примеру, девушке перестал звонить жених. Мать говорит ей: «Да не нужна ты ему». Сестра говорит: «Нет, он на самом деле тебя любит, просто хочет ревность в тебе вызвать». Подруга говорит: «Это он сомневается, не уверен, надо ли на тебе жениться». А на самом деле оказывается, что он просто заболел и в больницу попал. Так кому верить, кого слушать? Верить себе и слушать себя. Потому что смысл одного и того же события субъективен для разных людей.

Это абсолютно понятно и просто. К примеру, к молодой семье приезжает в гости мать жены, она же теща молодого мужа. Это хорошо или плохо? Объективно — ни то ни другое. Объективно — это просто факт, и все. А вот субъективно значение этого события совершенно различно для молодой жены и для ее мужа...

В нашей жизни мы имеем дело, по сути, не столько с фактами и событиями, сколько с полями значений этих фактов и событий. Ориентируясь только на событие, только на факт, только на материальное, физическое действие, невозможно сориентироваться в мире. Если вы ориентируетесь только на само действие и оцениваете само действие без учета его значения именно для вас именно в данной ситуации — вы постоянно ошибаетесь. Например, вы решаете: заработаю-ка я сто долларов! Ведь заработать сто долларов — это хорошо. Вы их зарабатываете, и в это время в стране отменяют хождение доллара. И все ваши доллары превращаются в ничто.

Это произошло, потому что вы ориентировались на сам факт, на действие, и не брали во внимание поля его возможных значений.

А информацию о полях значений именно данного действия именно в данный момент и именно для вас можно получить, только подключившись к Мировым Течениям. Получив эту информацию, вы сможете предвидеть значение и смысл действия или события для вас лично.

Вся наша навигация в жизненном море — это навигация не между фактами и событиями, а именно между полями значений этих фактов и событий.

И от того, насколько умело мы осуществляем эту навигацию, зависит все — успех, благополучие, жизнестойкость, сила или, напротив, прозябание и угасание.

Именно с неумением осуществлять эту навигацию связана история краха множества фирм. Фирма с момента открытия начинает набирать обороты, выходит на достижимый для нее уровень и какое-то время существует стабильно. Но за деятельностью фирмы стоит конкретный человек с конкретным сознанием. Пока он развивал фирму, пока выходил на уровень стабильности, все было замечательно, дела шли отлично. А потом вдруг в мире что-то неуловимо изменилось. Если руководитель предприятия своим сознанием может уловить эту перемену и вписаться в нее — он и его фирма и дальше будут преуспевать. А что означает перемена в мире? А то, что старые значения событий и фактов сменились на новые. И вот если человек этого не заметил — беда. Значения событий уже новые, а он воспринимает их по-старому. Он начинает делать ошибки. Фирма теряет свои обороты. Предпринимаются попытки ее спасти, но поскольку они предпринимаются в рамках старых значений, то все эти действия не приводят к положительным результатам. В итоге фирма погибает. А рядом живут и процветают множество аналогичных фирм! Только потому, что их хозяева смогли вовремя уловить изменение значений событий окружающего мира для себя лично и для своей фирмы.

Это аналогично тому, как если бы в стране поменялись законы, а человек об этом ничего не знает. Он не догадывается, что согласно новым законам нельзя включать электричество после полуночи — за это полагается теперь год тюрьмы. И продолжает сидеть всю ночь со светом. И оказывается за решеткой. Никто не виноват: надо было вовремя улавливать новое значение старого факта. Как говорится, незнание законов не освобождает от ответственности.

С законами тонкого энергоинформационного мира сложнее. Они не записаны в Гражданском кодексе. Их можно только поймать «из воздуха» при помощи своего собственного сознания. На каждом факте, явлении и событии нет ярлыка с обозначением смысла. Хочешь узнать этот смысл — сравни свои желания с ходом Мировых Течений, и поймешь, что смыслов этих много и они могут даже меняться каждый миг.

Кстати, именно по этой причине земляне не могут установить контакт с другими цивилизациями. Ведь мы не одиноки во Вселенной, это очевидно! А значения одних и тех же фактов для нас и для других миров совершенно различны. Условно говоря, то, что означает «добрый день» для нас, для них может быть вообще лишено смысла в лучшем случае, а в худшем — означать нечто противоположное по смыслу, к примеру: «не хотим вас знать».

Это понять очень просто. Земля может сколько угодно посылать в космос дружественные послания, но иные цивилизации воспринимают другой сигнал: белый шум, идущий от Земли. Это для них истинный язык и истинный смысл нашего послания, а вовсе не наши вежливые расшаркивания, которых они просто не замечают, как что-то лишенное всякого смысла.

Когда мы видим значение и смысл событий, то случайности перестают быть случайностями. Ведь каждая случайность имеет какой-то смысл. Кстати, в примере с развитием и крахом фирм иногда спасти дело может... новичок. К примеру, новый ведущий сотрудник или новый руководитель. Ведь его сознание еще не зашорено старыми значениями происходящего вокруг. Он, в отличие от старых сотрудников, своим свежим взглядом видит истинные значения. К примеру, когда старый сотрудник задумает продлить контракт с прежним партнером, который был всегда надежен, новый сотрудник может почувствовать, что теперь все изменилось и прежней надежности больше нет. И тем спасти все дело.

Именно этот феномен родил поговорку «новичкам везет». Везет им и в карты, и в рулетку. Именно потому, что в сознание еще не проникли штампы и стереотипы относительно того, как себя вести в какой ситуации. Они ведут себя спонтанно, интуитивно и ориентируются таким образом на истинный смысл явлений.

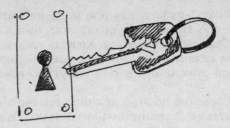

**Рис. 16. Нельзя открыть замок значений Мировых Течений
неподходящим ключом своих значений.
Замок нельзя поменять — но можно исправить ключ**

Но потом и они перестают быть новичками. И тоже обрастают стереотипами поведения. А там, где есть стереотипы, там нет истинного ощущения живого и движущегося мира.

Мы все можем всегда оставаться этими «новичками», которым всегда везет, — оставаться ими, даже имея какой угодно гигантский жизненный опыт.

И мы все можем поставить Мировые Течения себе на службу — нужно только знать и понимать, как мы можем осуществлять нашу навигацию среди полей значений.

ПОЛОСАТОСТЬ ЖИЗНИ: СПОСОБ ОРИЕНТИРОВКИ

Как вы поняли, порядок и хаос в нашей жизни расположены неравномерно. Это связано с имеющим место на сегодняшний день характером взаимоотношений людей и Земли с Мировыми Течениями. Где-то есть место силы, и там к Мировым Течениям подсоединиться легче (они просто более проявлены), значит, легче привнести в свою жизнь больше порядка. Где-то собралось много развитых высокоорганизованных людей, значит, здесь будет больше порядка во всем происходящем, чем в других местах. А где-то собралась орущая толпа низкоорганизованных людей. Значит, там будет мало порядка и много хаоса.

С этим неоднородным влиянием Мировых Течений связан такой феномен, как полосатость жизни.

Все знают, что жизнь как тельняшка: за светлой полосой следует темная. Причем существуют полосы как большого масштаба (хороший год — плохой год), так и более узенькие полоски, охватывающие короткий период времени, период выполнения какой-то одной задачи, одного дела. Многие студенты знают, что такие полосы могут сменяться даже в пределах одной экзаменационной сессии: если на первом экзамене повезло, на втором не жди ничего хорошего и так далее. Это связано с тем, что распределение удачи в сфере значений стремится быть постоянным.

В природе есть все — и порядок, и хаос, и положительное, и отрицательное. В человеке тоже все стремится гармонично сочетаться. Поэтому не удается зацепиться только за одно хорошее и сидеть в нем, не подпуская к себе ничего плохого. Так не бывает.

Если вам крупно повезло, то вы в каком-то смысле задолжали природе — перетянули одеяло на себя. Значит, надо ждать, что вскоре это одеяло могут стянуть уже с вас. Потому что окружающий земной мир стремится к равновесию хаоса и порядка. Так проявляется важнейший жизненный закон, гласящий: за все надо платить.

Кто-то, может быть, спросит: какая может быть полосатость на нашем новом уровне развития, когда по логике вещей выходит, что если следовать закономерностям Мировых Течений, то мы будем двигаться по гладкой накатанной дороге сплошного счастья и благополучия? В высшем смысле так оно и будет. Вы выйдете на генеральную линию вашей жизни, осознаете смысл жизни и свою жизненную задачу, и эта дорога будет вести вас по пути порядка и гармонии. Но в земной жизни этот путь проходит все же через черно-белые поля значений. Задача в том, чтобы не сбиваться в эти поля со своего генерального пути и корректировать их своими собственными силами. Сила эта у вас есть — она именно в этом вашем генеральном пути, выстроенном при помощи Мировых Течений. И именно эта сила поможет вам совершенно по-новому организовать полосатость жизни, чтобы она была полосатой только по форме, но не по сути.

Полосатость земной жизни — вещь неизбежная. Но, на наше счастье, здесь есть одна хитрость. Суть в том, что, поскольку значения событий — дело субъективное, то и оценка событий — дело тоже субъективное. Каким образом мы определяем, что жизнь полосатая? Правильно, только по своим оценкам! Каждый раз, когда мы оцениваем какое-либо событие как неудачное, мы сдвигаем свой «маятник значений» в отрицательную область. Сами сдвигаем, и никто это за нас не делает! Заметьте, не жизнь это делает. Это мы говорим жизни: ты нам сейчас подкинула какую-то гадость. И тогда маятник качается в другую сторону — ведь жизнь стремится восстановить равновесие. Тогда мы говорим жизни: как все удачно, как все хорошо! И жизнь опять стремится восстановить равновесие, откачивая маятник в противоположную сторону.

Значит, можно в некотором роде обмануть жизнь! Как? Просто перераспределив свои оценки.

Перераспределив свои оценки, мы можем научиться управлять полосатостью жизни.

Это во-первых. А во-вторых, понятия «хорошо» и «плохо» более чем условны и очень субъективны. То есть мы легко можем сами назначить, что для нас теперь будет означать «плохо», то есть чем мы будем платить в нашей жизни за удачу. Это условное «плохо» на самом деле может быть вовсе не плохо. Потому что это «плохо» может стать валютой, которой мы платим за блага жизни. Да, за все надо платить, но вот валюту, которой мы платим, мы выбираем сами. Выберем же валюту, которая нам удобна.

Легко перераспределяя оценки «хорошо» и «плохо» так, как нам надо, мы снижаем для себя значимость и хороших, и плохих событий. А когда снижение этой значимости происходит в нашем сознании, то и в нашей жизни мы начинаем меньше зависеть от полосатости. То есть мы просто перестаем подчиняться длительным периодам смены удачи неудачами.

Вот что дает нам умение управлять полосатостью жизни.

Но не только это. Мы при желании можем пойти дальше — не придавая слишком большого значения ни земной удаче, ни земной неудаче, мы к тому же можем научиться притягивать к себе удачу покрупнее, а неудачи — помельче. Для этого надо сделать так, чтобы удача распределилась на больших и важных для нас вещах. А неудачи мы оставим незначительным и несерьезным. Таким образом мы отда-

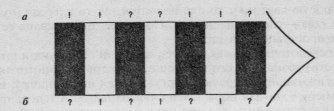

Рис. 17. Жизнь полосата, как тельняшка. Если ты на темной полосе, значит, скоро начнется светлая. И они распределяются случайно (*а*), так что на светлую полосу попадает то важное, то неважное. Но можно приравнять свои значения к полосатости (*б*), и все неудачи попадут в незначимые области, а вся удача — в значимые области

дим дань земной материальной природе, земному черно-белому миру, мы поставим галочку на слове «плохо», и оно нам зачтется и больше не будет к нам приклеиваться там, где не надо.

Как овладеть этим искусством? Для начала мы должны научиться ориентироваться в своем внутреннем, виртуальном пространстве, где и расположены структуры сознания. Затем в этом внутреннем пространстве сознания надо обнаружить области «хорошо» и «плохо» и научиться смещать центр своего сознания в них. Сделать это не так трудно: как вы вскоре убедитесь, для ориентировки в нашем внутреннем мире наше сознание использует вполне пространственную систему координат!

Вы готовы? Тогда начинаем!

Система ДУР
ступень V

Шаг 1. Обнаружение виртуального пространства своего сознания

Сядьте в удобной позе, закройте глаза. Вы увидите перед собой пустое темное пространство. Можно сказать, что вы оказались в пустом темном пространстве. Так оно и есть. Вы — в виртуальном пространстве своего сознания. Ощутите объем этого пространства. В нем, как и в обычном внешнем земном пространстве, три измерения. В нем только нет ограничивающего горизонта. Если вы попробуете вообразить себе любую картинку, то она появится где-то впереди, чуть выше глаз — словно на экране. Но кроме этого экрана есть еще и пространство пустоты.

Сосредоточились как следует, ощутили себя внутри пространства сознания? Вот и хорошо. А теперь вспомните любую стихотворную строчку. Первую, какая на ум придет. Ну к примеру, «Унылая пора! Очей очарованье...». А теперь попробуйте определить, где именно в пространстве, в котором вы сейчас находитесь, размещается эта строчка. Не ищите ее внутри себя, в своей душе и теле, не ищите ее и где-то в небесах. Определите ее чисто пространственные координаты в виртуальном пространстве, где вы сейчас находитесь. Где она? Сверху и справа, в середине, слева внизу или еще где-то? Совсем близко от вас или далеко?

А теперь вспомните запах ландыша. А он где расположен в вашем внутреннем пространстве? Не удивляйтесь, если за ним придется «лезть» совсем в другую часть этого внутреннего пространства. Продолжаем перебирать воспоминания. Вкус лимона... Вспомнили ощущение? Зубы впиваются в желтый прозрачный кусочек, кислый сок попадает на язык... А оно где расположено в вашем виртуальном пространстве? Ищем, определяем координаты.

А теперь другого рода воспоминание. Вспомните таблицу умножения. Нет, не надо ее повторять наизусть, достаточно вспомнить, что дважды два четыре, либо представить, как она выглядит (помните — на обложках школьных тетрадок таблица умножения была приведена полностью), либо свое ощущение от уроков арифметики, когда вы учили таблицу. Ну и где же таблица умножения в вашем виртуальном пространстве? Вспомните лучше что-нибудь более приятное — сочный шашлык, синее море, букет роз...

Вы увидите, что все это размещается в разных областях вашего внутреннего пространства. Что пространство это поистине безгранично по своей глубине, раз в нем размещается так много всего. Оно вмещает все, что только есть в вашем сознании!

Правда, интересно? Когда мы закрываем глаза, обнаруживается, что мы используем для ориентировки в собственном внутреннем пространстве обыкновенную систему пространственных координат: выше — ниже, правее — левее, ближе — дальше. И я сразу скажу вам, что расположение элементов нашего сознания в этом пространстве сохраняется стабильным, оно не меняется. То есть в том самом месте, где вы обнаружили ту или иную стихотворную строчку, вы найдете ее и в следующий раз, и всегда, когда только захотите ее найти. Поэтому, обнаруживая «место жительства» вкуса лимона, таблицы умножения и так далее, знайте: именно в тех точках, где все это было обнаружено вами, там оно и расположено постоянно!

В этом же пространстве расположены и интересующие нас области «хорошо» — «плохо».

Система ДЭИР
Ступень V

Шаг 2а. Обнаружение внутренней области «хорошо»

Прежде чем приступать собственно к выполнению этого шага, вам нужно сесть за стол, взять ручку, бумагу и составить список приятных для себя воспоминаний. Не раздумывая долго, записывайте то, что вам первое вспомнится. Например: поездка на море в прошлом году, как мы играли в прятки в детстве, вкусное пирожное, съеденное вчера, и так далее. Записывая, сразу же вспоминайте ощущения от этих приятных событий — как вам действительно было хорошо в тот момент. Значимость событий не важна — это могут быть и серьезные жизненные удачи, и разные приятные мелочи, главное, чтобы было ощущение радости и тепла. Запишите 5—6 таких событий, больше — не обязательно.

Составив список, сядьте в удобной позе, расслабьтесь, закройте глаза и поочередно разыщите все эти события в вашем внутреннем пространстве. Сделав это, вы обнаружите, что хотя пространственные координаты у этих событий различны, но в них есть что-то общее, а именно: у них есть точка соприкосновения или точка пересечения, короче, какая-то общая для них всех область. Обнаружьте эту область — ее тем или иным образом включает в себя зона каждого из вспоминаемых приятных событий.

Вот эта область и есть искомая нами область «хорошо».

Запомните, где она расположена. Еще раз проверяем, запомнили ли мы ее местонахождение. Закрепляем свое запоминание и открываем глаза.

Итак, вы обнаружили, что все хорошие воспоминания имеют одну общую для них всех область. Все они включают в себя область «хорошо». Теперь эта область вами найдена. Она нам еще понадобится.

Система ДЭИР
ступень V

Шаг 2б. Обнаружение внутренней области «плохо»

Теперь задание будет менее приятное, чем предыдущее. Только что вы составляли список приятных событий. Теперь вы должны сделать то же с неприятными событиями. Не обязательно, чтобы это были какие-то уж очень горестные события, — достаточно вспомнить о неприятностях «средней тяжести»: в студенческие годы провалился на экзамене, в детстве мама отшлепала, вчера начальник обругал.

Теперь снова закройте глаза и точно так же, как вы это делали с «хорошо», обнаружьте область, где все неприятные события пересекаются. Это — область «плохо». Проверили, утвердились в своем ощущении, что вы теперь точно знаете местонахождение этой области. Открыли глаза.

Вы обнаружили область «плохо». Она нам еще потребуется.

Итак, вы обнаружили, что все воспоминания, как плохие, так и хорошие, живут в пространстве нашего сознания не где попало и не как попало. Они упорядочены, привязаны к одному определенному месту как добропорядочные горожане к месту прописки. Бомжей среди них нет! Они четко знают свое место. Порадуйтесь такому порядку внутри себя: расположение воспоминаний в нашем виртуальном пространстве строго индивидуально и постоянно. А теперь нам останется только воспользоваться открытыми областями, чтобы включиться в режим управляемой полосатости.

Основан этот прием на следующем принципе. Стоит нам только обозначить какой-то период нашей жизни как «хорошо», то сразу же пойдет небольшая волна обстоятельств, так и старающаяся сдвинуть нас в «плохо». Если мы будем сопротивляться этой волне, она будет нарастать, пока окончательно не сдвинет нас в «плохо». Но стоит нам только перестать цепляться за «хорошо» и честно сказать себе, что вот теперь стало «плохо», как обстоятельства сами собой начнут сдвигаться в «хорошо» — сначала небольшой волной, а затем и лавиной.

Но с чего же начать учиться управлять естественной полосатостью? Да с чего угодно. Можно начать хоть прямо сейчас. Как вы оцениваете то, что у вас сейчас, в данный момент, происходит: хорошо или плохо? Возможно, вы не оцениваете это никак — просто обычное нейтральное состояние. Вот и замечательно. В прямом смысле — оцените это состояние как замечательное, присвоив ему звание «хорошо». Как это сделать, если ничего особенного как будто и не происходит? Очень просто: можно вытащить на поверхность сознания какие-нибудь незначительные, но приятные мелочи, раздуть их, как воздушный шарик, в общем, сделать из мухи слона — и начинать наслаждаться. Например: ах, как мне сейчас тепло и уютно сидеть в этом кресле. Или: какой красивый цветок вырос на подоконнике. Можно натренироваться в выделении и раздувании таких и подобных им мелочей. Попробуйте продержаться в состоянии «хорошо» для начала около трех-четырех часов. Таким образом вы включите свое сознание в режим использования неоднородности полей значений окружающего мира и создадите для себя управляемую полосатость. Сами понимаете, что всерьез, искренне, сделать это не то что сложно, а, пожалуй, и невозможно.

Поэтому мы должны прибегнуть к другому способу. И сначала вам придется вспомнить о том, что такое чувство «я есмь» и как находить его в себе. Самым внимательным и настойчивым читателям напоминать об этом, конечно, не надо — они, несомненно, хорошо усвоили этот важный элемент системы, и, естественно, обладают значительной практикой в его использовании. Но и им не помешает обратиться еще раз к четвертой книге — «Зрелость» для того, чтобы освежить в памяти и в ощущениях, что означает чувство «я есмь». Если же есть какое-то недопонимание данной темы, тем более нужно еще раз обратиться к ней самостоятельно, либо прийти заниматься на курсы школы ДЭИР.

Система ДЭИР
ступень V

Шаг 2в. Включение в режим управляемой полосатости

Сядьте удобно, закройте глаза. Некоторое время просто смотрите в темноту, как бы вглядываясь вдаль. Таким образом вы успокоите свое зрение, сможете расслабить веки и прекратить беспорядочное движение зрачков.

Теперь проведите редукцию своего сознания до верхней точки «я есмь» (вспомните, что мы делали на четвертой ступени ДЭИР — она у нас находится в точке входа нисходящего потока!).

Усильте восходящий поток (это уж совсем азы, этим мы занимались в начале первой ступени, напоминать, как это делается, надеюсь, никому не надо). Теперь вспомните, где у вас находится только что найденная зона «хорошо». В такт вдохам начинайте сдвигать точку «я есмь» в область «хорошо». Как только вам удастся достичь этой точкой области «хорошо», ваше сознание сразу же будет пронизано, как лучами солнца, радостными чувствами и приятными ощущениями.

Несколько мгновений наслаждайтесь этим состоянием, а затем, не теряя сосредоточения на нем, медленно открывайте глаза. Свет, который вы при этом видите и как бы впускаете в себя, закрепляет слияние точки «я есмь» с областью «хорошо».

Отдохните минут 10—15 и повторите данный шаг еще раз сначала. Всего же вам нужно повторить его, как минимум, раз 10—15 с удобными для вас интервалами на протяжении 5—6 часов.

Через несколько дней повторите всю процедуру снова. Еще через несколько дней снова вернитесь к ней. Всего же нужно повторять этот шаг до тех пор, пока в вашей жизни не начнут проявляться реальные результаты этой работы.

Что это должны быть за результаты?

При сохранении прекрасного и радужного внутреннего состояния в вашей внешней жизни на некоторое время наступит как бы некоторый «вакуум». Жизнь перестанет предоставлять возможности для радости и веселья. Не пугайтесь и держитесь: в этом нет ничего страшного, это залог будущих счастливых перемен. Кроме того, при внутреннем радостном состоянии вы поймете, что некоторая внешняя «непруха» — ничего не значащая ерунда. Ну подумаешь, бананов дешевых не досталось или кефир в холодильнике пролился. Или друзья раньше звали то в кино, то на дискотеку, а теперь все сгинули куда-то как один. Это все мелочи жизни! Всегда бы такие неприятности были!

Не беспокойтесь, все это мы делаем именно для того, чтобы у вас всегда были только такие неприятности, и ни на грамм больше.

Данный результат наступает у всех в разные сроки — у кого-то раньше, у кого-то позже. В любом случае, если данный эффект уже заметен, — знайте: вам нужно срочно обозначить его словом «плохо».

Как только вы отметите этот период вашей жизни знаком «плохо» — ход событий тут же начнет стремиться переломиться к лучшему. Причем к лучшему он переломится уже не в мелочах, а в действительно важных для вас областях.

Но при этом будьте готовы к тому, что в мелочах сохранится недостаточное везение. Поэтому решите для себя сразу: готовы ли вы пожертвовать мелочами ради того, чтобы везло в крупном? Я думаю, на вашем уровне развития вы без сомнений ответите «да». Мелочи уже настолько незначимы на этом уровне, что просто не замечаются, и совер-

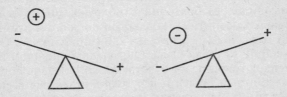

Рис. 18. Наша внутренняя область «хорошо», как магнит, притягивает события со значением «плохо». Но стоит поменять ее на «плохо» при тех же событиях — и на поверхность выплывут, словно вытолкнутые, события со значением «хорошо»

шенно не важно, везет в них или нет. Зато в крупном будет везти! Игра стоит свеч.

Желательно при этом не испытывать судьбу лишний раз — к примеру, не играть в казино и не баловаться разными лотереями. Зачем вам на эту ерунду оттягивать часть своей драгоценной удачи? Пусть побольше ее останется для большого и важного.

Помните известную поговорку: «Не везет в картах — повезет в любви»? Здесь действует тот же принцип. В сущности, каждый человек делает этот выбор: выбирает либо везение в мелочах, либо в крупном. Хотите, чтобы везло в мелочах, — играйте в карты, без конца пейте пиво с друзьями, в общем, гонитесь за «элементами красивой жизни». Зато на удачу в крупном не рассчитывайте. Хотите удачи в крупном, к примеру в любви, — ну откажите вы себе в удовольствии карточной игры или в других столь же незначимых и сомнительных мелких удовольствиях.

Впрочем, вы, как люди развитые, уже, наверное, не очень-то клюете на удочку мелких, сомнительных развлечений. И хорошо — не придется лишний раз мучиться. Это для обычных людей необходим сознательный отказ от таких мелочей, чтобы притянуть крупное. За вас уже сама ваша природа отказалась от них, потому вам и не везет в мелочах. Зато удача в крупном не преминет заявиться к вам в гости очень скоро.

К такому состоянию учащиеся привыкают очень быстро. У развитого человека действительно исчезает потребность в везении в мелочах. Они не распыляются на это. Они живут крупными событиями и крупными вехами судьбы. Преображаются даже женщины, которые раньше жизни не мыслили без болтовни с подружками по телефону, бесконечных кофепитий с коллегами по работе, пустого шатания по магазинам и разглядывания прилавков... Одна из наших учениц, которая была в недалеком прошлом именно такой, теперь говорит: «Я чувствую, как в жизнь вошел какой-то глубинный смысл и вся жизнь стала очень ценной, очень значимой, бесконечно интересной и насыщенной — как я могла ее распылять по мелочам? Я родилась заново. У меня началась вторая жизнь». Эта женщина еще в 1987 году была взбалмошной и серенькой старшей лаборанткой, а теперь занимается интереснейшим направлением в науке, ведет отдел, ездит за рубеж на симпозиумы, преподает в престижнейших учебных заведениях Запада.

Впрочем, имейте в виду: когда вам начнет везти, не обязательно это распространится на других. Вашим везением можете воспользоваться вы, и только вы! Мы уже говорили о том, что смысл одних и тех же событий для всех людей разный. Может быть, вы найдете подлинное дело своей жизни, которое искали много лет, и будете от этого безмерно счастливы, а окружающие скажут: «И что за глупостями он занимается» — или что-нибудь в этом роде. Вы уже знаете, что мнение окружающих ничего не значит. Я понимаю, что это чистой воды занудство, но тем не менее еще раз напоминаю: надо ориентироваться не на это мнение, а на значение данного события именно для вас, лично для вас. Если у вас все поет внутри — значит, вы делаете все правильно.

Итак, если вам вдруг перестало везти в мелочах, вы можете сделать вывод о том, что скоро начнется (или даже уже началась) светлая полоса. Это значит, самое время заняться тем, что важно для вас. Пока черная полоса еще не закончилась, используем ее как отправную точку, чтобы она из черной полосы превратилась во взлетную полосу и чтобы светлая полоса смогла устранить несправедливость и воздать вам сполна за прожитый темный период, отвалив на вашу долю как можно больше радости и удачи.

И вот теперь, когда вы включились в режим управляемой полосатости, самое время вспомнить о необходимости вписываться в Мировые Течения. О необходимости улавливать среди них верное направление для себя. Нам это нужно, если мы хотим прожить нашу жизнь максимально эффективно и достигнуть в ней вершины благ для себя и для других, если мы хотим стать во всех отношениях преуспевающими людьми, то есть выполнить программу-максимум своей жизни с наибольшим возможным успехом.

Дело в том, что даже научившись распределять удачу на самые важные стороны нашей жизни, мы еще не получаем полной гарантии успеха. Люди часто, не зная законов Мировых Течений, пытаются сделать то, что на данный момент для них невозможно. В этом случае, даже распределив на эти мнимо важные стороны максимум удачи, мы рано или поздно оказываемся перед закрытым шлагбаумом. Произошло это потому, что в данном случае мы столкнулись с закрытым путем в своей жизни.

И вот сейчас нам предстоит узнать об очень важном моменте — о том, о чем не знает большинство людей и потому терпит неудачи, крах, сталкивается с тем, что называется «несложившейся жизнью». Жизнь у них не складывается не потому, что так уж фатально предопределен ход событий и так несправедлива судьба. Совсем нет. Мир устроен так, что каждая жизнь может сложиться идеально, каждый человек может реализоваться наилучшим и наиполнейшим образом. Но для того, чтобы это произошло, надо знать законы и уметь пользоваться ими. Только и всего! То есть от самого человека зависит, сложится его жизнь или нет, а вовсе не от какого-то там злого рока или вмешательства каких-то там сил.

Хотелось бы подчеркнуть, что это зависит не от простого стечения обстоятельств — нет, это зависит и от нас самих — в той части, в которой мы способны окружающий мир анализировать, в той части полей значений, **которые мы невольно задаем сами.**

А все пути для нас делятся на открытые и закрытые.

Глава 4

Открытые и закрытые пути: понимание феномена

УМЕНИЕ ОБОЙТИ ДЕРЕВО

Итак, все пути делятся для нас на открытые и закрытые. Скажу сразу: открытый путь вовсе не является сплошной белой полосой в нашей жизни. Открытый путь — это правильное чередование черных и белых полос, вернее, определенная зона, проходящая по этим полосам таким образом, что максимум удачи в важных и значимых для нас делах приходится именно на белые полосы, а для черных остается то, что, в общем-то, не так уж для нас и важно. Человек, правильно включившийся в режим управляемой полосатости, легко следует по открытому пути, не встречая никаких препятствий и в важных для себя областях пожиная лишь плоды приваливающей ему удачи.

Но дело в том, что не все цели и желания в нашей жизни, которые нам кажутся важными и значимыми, находятся на открытых путях. Все вы знаете это по собственному опыту. Вспомните, сколько начатых вами и важных для вас дел не осуществилось по совершенно непонятным на первый взгляд причинам. И ведь вы бились над этим делом достаточно долго, и в какие-то моменты вам казалось, что все вот-

вот получится... Но — нет. «Не судьба», — говорим мы в таких случаях.

Зато другие дела получались как бы сами собой, словно по мановению волшебной палочки, — и это тоже было для вас совершенно необъяснимо. «Словно кто-то меня вел и направлял, и показывал, куда ступить, чтобы прийти в итоге к удаче, и проводил ко мне людей, а я сам для этого абсолютно ничего не делал», — как сказал один из моих учеников.

Было ведь такое и в вашей жизни, правда? И уже тогда вы догадывались, что существуют в мире какие-то высшие закономерности, непонятные для нас, но ощутимо влияющие на нашу жизнь.

К счастью, тренированный человек практически всегда может заранее различить, будет ли направление движения для него благоприятным или нет. А такой информацией может воспользоваться любой более или менее здравомыслящий разумный человек. Представьте себе дерево, которое стоит прямо перед вами на расстоянии пяти метров. Если вы умный и здравомыслящий человек, то легко сообразите, что если вы будете двигаться четко по прямой, соединяющей вас с деревом, то через несколько секунд упретесь в него лбом. Поскольку вы этот результат в состоянии спрогнозировать заранее, то проверять его на собственном опыте не станете. Вы не станете задаваться вопросом: «А что будет, если я сейчас пойду прямо на это дерево? Ну-ка, попробую...» Вы и так заранее знаете что будет. А потому спокойно обойдете дерево.

А вот если перед деревом окажется человек, у которого с интеллектом и сообразительностью не все в порядке, он тоже, в принципе, конечно, может догадаться о результатах своего продвижения прямо на дерево. Но, не слишком доверяя себе, он решит все же свои догадки проверить. Часто при этом он рассуждает примерно так: «А вдруг обойдется? А вдруг мне удастся проскочить сквозь дерево? Или еще как нибудь с этим препятствием справиться?» В общем, он рассчитывает на авось вопреки очевидному положению дел. В итоге — искры из глаз и шишка на лбу.

А теперь задумайтесь, как часто люди ведут себя в жизни подобно этому товарищу, решившему атаковать дерево. Человек устраивается на новую работу — и знает заранее, что ничего хорошего ему это не принесет. Но успокаивает, а точнее, обманывает себя: «А вдруг обойдется?» Не обходится. В итоге — все те же шишки и увольнение. Бизнесмен чувствует бесперспективность нового контракта, но рассчитывает все на тот же авось: «А вдруг повезет? Большие деньги привалят». В итоге — моральные и материальные потери, от которых он еще долго не может оправиться.

Таких случаев множество. Интуиция, если она не совсем спит, так или иначе подсказывает, открытый или закрытый путь перед нами. Если же отсутствует интуиция — подсказывают обстоятельства жизни. Но люди редко обращают внимание на эти знаки, потому что не знают, как работает закон открытых и закрытых путей.

Чтобы легко и на сознательном уровне, а не только на уровне догадок и интуиции, распознавать в своей жизни открытые и закрытые пути, разберемся логически, как они проявляют себя — пути, благоприятствующие нам, и пути, на которых нам приходится трудно. А сделать это поможет нам уже имеющееся у нас понимание полосатости жизни.

ОТКРЫТЫЙ ПУТЬ — ЗОНА В ПОЛОСАТОСТИ

Что такое, собственно говоря, открытый путь? Это путь, который лежит точно в русле Мировых Течений, и нам нужно лишь попасть в это русло, чтобы оно само принесло нас к цели. Вспомните аналогию с непонятным механизмом, где множество шестеренок и, если прицепиться к одной из них, можно легко добраться до полки с пирожными. Вот так же и здесь. Совпали ваши значения с направлением движения значений Мировых Течений — извольте получить то, чего желаете.

Открытых путей в нашей Вселенной множество. Можно сказать, что их — большинство. На всех людей должно хватить этих открытых путей с запасом — причем так, что каждый человек должен чувствовать себя на своем открытом пути совершенно свободно, потому что, кроме него, там никого нет.

Каждому человеку дана возможность воспользоваться открытыми путями. Но в реальности люди не так часто находят эту свою нишу. Они не видят своих открытых путей, не умеют их беречь и рано или поздно натыкаются на закрытый путь, приводящий их к неудаче.

Человек не существует в отрыве от Вселенной. Человек — часть Вселенной. Представьте себе: информационное поле Вселенной разделено, словно на ячейки, на различные информационные области. К примеру, есть области, отвечающие за тот или иной род деятельности. Эти ячейки, конечно, абстракция, но правда то, что для конкретного человека карта их распределения уникальна и неповторима. Если вы хотите, чтобы распределение этих ячеек для вас изменилось, вам придется изменять сферу своих значений — значимости для вас отдельных фактов.

Так что каждая такая ячейка — своего рода сейф, закрытый секретным замком. К этому сейфу не может получить доступ любой желающий. Для того чтобы открыть этот сейф, нужен ключ, который подойдет именно к этому замку. И вот таким ключом как раз и является определенный человек. Именно конкретный человек с его индивидуальностью, с его особенностями энергоинформационной структуры, с его уникальной Душой может стать тем ключиком, который откроет именно эту ячейку сейфа — и события на этом пути будут нести для него положительное значение! И если человек четко обнаружит именно подходящую для себя ячейку, то он выйдет на свой открытый путь и все у него получится легко. А вот если он полезет своим ключом открывать неподходящую для себя ячейку, то только ключ (то есть самого себя) искорежит и поломает, и дверца так и не откроется, будет ожидать своего ключа.

Вот так происходит выход на открытый путь. Открытый путь отличается тем, что он легко прогнозируем. И если мы правильно приноравливаемся к естественному ходу событий, то легко и практически без усилий достигаем цели.

Если выставивший себя на использование управляемой полосатости человек, находясь на открытом пути, в рамках этого пути занимается рекламой и по всем прогнозам эта реклама должна увеличить оборот фирмы — значит, так оно и будет. Если такой человек на открытом пути сажает на огороде картошку и планирует получить большой урожай, то на эту картошку ни при каких обстоятельствах не нападет ни колорадский жук, ни мучнистая гниль, а если даже и нападет, то не попортит урожая, так как с ней на удивление легко удастся справиться.

Или другой пример. Множество юных девушек с детства мечтают стать звездами эстрады. И делают для этого все, что только можно. Но из этого множества желаемого результата достигают единицы. Остальным же остается только смотреть и завидовать: «Ну почему она, а не я? Что в ней хорошего — ни голоса, ни внешности! Я лучше, я достойнее — но я в зале, а она на сцене». Обиды на судьбу разрастаются, распространяются слухи о бешеных деньгах и связях, без которых якобы никуда не пробьешься.

Между тем часто оказывается, что эта счастливица попала на сцену безо всяких денег и связей — помогло то, что называется счастливой случайностью... На самом деле она просто верно нашла свою ячейку, свой открытый путь. Вот и произошло то, что для большинства так и осталось чудом и чем-то совершенно невероятным. Тогда как для нее это чудо свершилось легко и просто, безо всяких усилий. Захотела стать звездой шоу-бизнеса или даже не мечтала — и результат легко осуществился. Просто для нее этот путь оказался открытым.

А другие ошиблись, тратя силы на закрытый для себя путь. Вот и ударяются всю жизнь лбом о то самое дерево, которое так просто обойти и выйти на свою открытую и счастливую дорогу.

От чего это зависит? Только от закономерностей высшего порядка, от нашего умения или неумения им следовать. Если бы не наше движение не взаимодействовало с закономерностями высшего порядка, каждый человек мог бы легко достигать всего того, чего хочется в данный момент его левой пятке. Устоял бы при этом мир — неизвестно, скорее всего, нет, ведь желания левых пяток огромного количества людей просто разодрали бы его на части. Представьте себе, один человек захотел повернуть реки вспять — и тут же повернул. Другой захотел осушить океан — осушил. Третий захотел, наоборот, затопить всю планету водой — затопил. Четвертый захотел уничтожить леса — уничтожил. Ну и так далее. В итоге полный хаос и конец мироздания.

К счастью, высшие закономерности ведут мир своим путем. Только благодаря этим высшим закономерностям, по всей видимости, наш мир пока устоял. Зато «рушатся» и уходят из жизни люди, которые пытаются бросить вызов этим закономерностям. Мир попросту сильнее и бесконечно сложнее, и потому такие люди неизбежно становятся побежденными, уходят со сцены жизни.

И только на открытом пути мы можем делать то, что мы хотим, без ущерба для себя и для мира, а напротив, к всеобщей пользе и к собственному процветанию. На открытом пути мы встречаем уже привычное для нас распределение полосатости, когда на фоне отсутствия везения в мелочах нам ничто не мешает добиваться удачи в крупных и важных вещах.

Например, в прошлом году по телевизору одна из наших «звездочек» шоу-бизнеса рассказывала, что в юности она просто обожала порядок во всем — и этот порядок ей всегда сопутствовал. Она никогда никуда не опаздывала, всюду приходила вовремя. В доме у нее все было разложено по своим полочкам, и ни одной пылинки нигде не было видно. Она прекрасно готовила, и никогда у нее ничего не подгорало, ничего она не пересаливала — в общем, все было идеально. При этом она уже тогда была весьма талантливой начинающей певицей, но вот перспектив сделать карьеру, казалось бы, не было никаких.

Но однажды на нее обратил внимание очень известный и преуспевающий композитор. И начал ее, что называется, «раскручивать». Что тут началось в ее прежде размеренной жизни! Пироги начали подгорать, разбросанные вещи валялись теперь по всей неприбранной квартире, она стала всюду опаздывать, так как транспорт, как назло, начал вечно сбиваться со своего графика — стоило ей подойти к остановке. В общем, в мелочах пошли сбои и неудачи. Но зато она очень скоро стала известной артисткой, сделав просто головокружительную карьеру! Так что, несмотря на неудачи в мелочах, этот период ее жизни никак нельзя было назвать темной полосой.

Открытый путь — это направление, где закон полосатости ничем не нарушен, где полосатость правильно распределяется по значимым и незначимым сферам жизни. Открытый путь — это путь, не занятый никем и ничем, кроме вас.

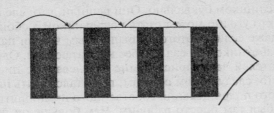

Рис. 19. Ничто не препятствует движению по открытому пути —
все просто и чудесно

И вы можете свободно развиваться в этом направлении так, как хотите, — ваше развитие никем и ничем не ограничено.

А теперь вспомним о техниках второй ступени ДЭИР, изложенных в книге «Становление». Помните? Это программы на удачу, на везение, на уверенность в себе, на эффективность собственных действий. Так вот: теперь пришло время сказать вам, что эти техники предназначены только для открытых путей, а значит, только на открытых путях эффективны!

Я надеюсь, вы верно определяли при помощи интуиции свои открытые пути. Ведь сама жизнь подталкивает каждого человека именно к открытым путям! А потому открытые пути просто-таки сами собой расстилаются перед каждым человеком. Просто выбирай и иди! Но отдельные особо упертые люди все же умудряются закрыть глаза на открытые пути, сами так и зовущие в дорогу, и держаться до последнего за уже начатый путь, даром что он для них постепенно закрывается. А вот тут уже методики второй ступени не помогают. Были такие случаи и у вас? Не помогали методики второй ступени? Теперь, когда вы стали грамотнее, задумайтесь: не влезли ли вы ненароком на закрытый путь, уже недоступный для вас, потому что вы расцениваете события на нем неадекватно его естественному развитию? Так не лучше ли уйти оттуда и поискать свободные рельсы и зеленые семафоры? Или (забегаю вперед) превратить этот путь в открытый?

Во второй книге приводился пример о том, как можно стать начальником, применяя программы на эффективность действий. Некоторые из читателей, видимо, восприняли этот пример слишком буквально. Они решили, что, следуя этому методу, кто угодно может стать начальником любой организации, даже если до этого он был самым что ни на есть рядовым работником, звезд с небес не хватающим. Один из таких читателей даже прислал мне разгневанное письмо. Он писал, что, следуя моим советам, попытался стать начальником целого подразделения собственного предприятия, когда раньше был там просто рабочим. Чем больше он применял программы на эффективность действий, тем сильнее отторгал его коллектив. Пошли выговоры, вызовы «на ковер» к начальству. Человек думал, что все правильно, что так сопротивляется энергоинформационный паразит. Он забыл, что в случае правильного применения программ на эффективность действий паразит просто перестает замечать переросшего его уровень человека — такой человек становится как бы прозрачным, невидимым для социума. Он же не стал управлять ситуацией самостоятельно, приняв на себя функцию энергоинформационного паразита. В результате моего незадачливого читателя просто уволили с предприятия. В связи с чем он и разгневался.

Я ничего не ответил на это письмо, рассудив, что жизнь сама разберется с человеком, который не хочет включать свой мозг в нормальную работу и начинать наконец думать. Но история эта закончилась гораздо лучше, чем я предполагал. Через полгода мне пришло еще одно письмо от того же читателя. Он извинялся за свое предыдущее письмо и на сей раз... благодарил меня. Оказывается, после увольнения с предыдущей работы он от нечего делать начал заниматься самостоятельным делом. Получилось совсем неплохо. Решил укрупниться — все получилось. Сейчас это вполне преуспевающий человек.

Вот так система ДЭИР в итоге помогла человеку уйти с закрытого пути, где, естественно, не действовали программы на эффективность действий, и выйти на открытый путь, где он добился успеха без особых усилий. Система ДЭИР помогла человеку выйти на верный путь даже при том, что сам человек стремился совсем к другому результату!

Итак, открытый путь — это ничем не нарушаемая правильная зона в полосатости, где от нас для наибольшего успеха требуется лишь обеспечить правильное зонирование удачи и неуда-

чи, то есть распределение негатива в малозначимых областях, а позитива — в значимых областях. В итоге мы легко получаем то, что хотим.

Одна из читательниц второй книги поведала в своем письме историю о том, как ей как раз очень легко удалось стать начальницей отдела, где она работала, — ведь у нее давно были мысли о реорганизации этого отдела, которые, как она чувствовала, приведут фирму к процветанию. Ей не хватало для достижения цели лишь некоторой самодисциплины и знания методов достижения этой цели. Получив в свое распоряжение методы, она достигла цели, так как изначально была на открытом пути. Она перепрофилировала отдел, набрала новых сотрудников — фирма стала работать в очень перспективном направлении, получила большую материальную выгоду. Причем все это произошло легко, как бы само собой, без особых усилий и уж точно без перенапряжения. Открытый путь есть открытый путь. Зеленый свет дан — остается лишь легко катиться по гладким и ровным рельсам. На этом пути не возникает непредвиденных препятствий, неожиданных мешающих делу обстоятельств, и достижение цели зависит только от нас самих.

ЗАКРЫТЫЙ ПУТЬ — СБОЙ В ПОЛОСАТОСТИ

Совсем другое дело — закрытый путь. Закрытый путь всегда очень активно сопротивляется нашему движению по нему.

Закрытый путь — вещь очень коварная. Если бы он был просто темной полосой в нашей жизни — это была бы не беда. Видишь темную полосу, понимаешь, что ничего хорошего она не принесет — и легко обходишь ее стороной. Только и всего.

Но закрытый путь — это не темная полоса. Закрытый путь хитрее и коварнее. Он словно заманивает человека иллюзией легкой достижимости цели. Он кажется открытым путем. А потом, когда удача, казалось бы, уже в двух шагах, — взять да и задвинуть перед человеком железные створки непробиваемых дверей, взять да и опустить шлагбаум навсегда. Вот такая непростая вещь — закрытый путь

Но не надо видеть в этом какое-то наказание, или чью-то злую волю, или происки Высших Сил. Высшие Силы вообще не способны ни к каким проискам — это во-первых. И во-вторых, человек для них слишком малозначимая величина, чтобы кто-то специально выставлял перед ним какие-то барьеры. Никаких барьеров специально для вас лично никто выставлять не будет — и не надейтесь, мы все не столь важные персоны. Но мы сами уткнемся в этот барьер, если будем упорствовать в продвижении по закрытому пути. Для нас и строить этот барьер не нужно. Мы сами его найдем.

Вспомните аналогию с ячейками-сейфами информационного поля, к которым каждый из нас может стать ключом. Чтобы открыть определенную ячейку, нужно обладать определенными, соответствующими ей свойствами. Если у нас этих свойств нет или есть какие-то лишние свойства, не подходящие для этой ячейки, мы ячейку не откроем и вынуждены будем пойти дальше в поисках только своей ячейки. Можно провести параллель с тем контролем, который каждый пассажир проходит в аэропорту. Если у вас в кармане молоток, вы не пройдете через турникет. При этом нельзя сказать, что этот турникет построили специально для вас, чтобы наказать вас, чтобы не пропустить вас на нужный вам рейс. Нет, никто и не думал вас наказывать. Просто ваши свойства на данный момент таковы, что вы не можете пройти через турникет. А вот если у вас в кармане, к примеру, кирпич, то вы запросто минуете магнитный контроль. И опять же это не будет означать чьего-то поощрения или награды для вас — просто ваши качества оказались соответствующими проходу через данный турникет.

У каждого из нас есть какие-то цели, желания, какая-то сумма знаний, какие-то качества характера, какие-то навыки и умения, таланты и способности, какие-то кармические характеристики, наконец. Но главное — это значения, которыми мы наделяем факты своей жизни — те, которые имеют отношение к намеченному нами пути. Все это вместе и создает ту самую конфигурацию «ключа», которая позволяет либо не позволяет открыть тот или иной замок. Если девушка с прекрасными данными не смогла стать эстрадной певицей — не надо думать, что это ее Бог наказал или судьба обманула. Нет, просто ее персональный «ключ» не подошел к той двери, потому что подходит совсем к другой.

Когда мы находим свою дверь, ту дверь, которая соответствует нам в данный момент времени, мы всегда получаем в награду удачу. И ошибаются те, кто продолжает биться в не соответствующие себе двери только потому, что они внешне выглядят эффектнее и привлекательнее. Это только внешне. Для вас за нею только ночь и чернота. Не путайте свои двери и чужие. Не лезьте с молотками через магнитный контроль. Не ныряйте в реку с камнем, привязанным к ноге. И не надо будет гневить Бога и судьбу, сетуя на то, что вас якобы наказали, обманули... Нет никаких наказаний. Все негативные события на своем пути создаем мы сами.

Мы сами, двигаясь по выбранному нами пути, хотим придать предстоящим на этом пути событиям нужные именно для нас значения. И часто не видим, что Мировыми Течениями определяются совсем другие значения этих событий, так же как человек с молотком в кармане может, к примеру, хотеть пройти через контроль и не знать, что металлический предмет в кармане делает это невозможным. В итоге сопротивление среды нарастает, и в конце концов наше продвижение становится невозможным. Движение останавливается.

К примеру, вы решили поехать в отпуск, рассудив со свойственной человеку логикой, что отпуск — это всегда хорошо. Вы, сами того не зная, опять же ориентируетесь на событие, а не на его значение. Между тем логика Мировых Течений такова, что именно сейчас, в данный момент, значение «хорошо» присуще для вас не отпуску, а работе. Именно сейчас, кстати, открываются огромные возможности для успешной работы с достижением серьезнейших и перспективных результатов. Открыт путь в сфере работы — этот путь сам зазывает и приглашает вас вступить на него, обещая реальный успех. Но вы упорствуете в том, что отпуск — это хорошо, и решаете работу отложить. При этом вы стремитесь к самым благоприятным значениям всех тех событий и фактов, которые связаны с отпуском. То есть вы хотите, чтобы гостиница была хорошая, чтобы погода была солнечная, вода в море теплая, а девушки — дружелюбными. Но Мировыми Течениями не предусмотрено для вас сейчас такое стечение обстоятельств. Ваш путь в отпуск лежит вне их русла. В итоге в гостинице ползают тараканы, погода портится в день вашего приезда, а холодное и штормящее море никак не способствует купанию. Впрочем, другим это, как кажется, совсем не мешает — другим отпускникам, но не вам.

Возвращаясь из отпуска с самыми ужасными впечатлениями, вы обнаруживаете, что за это время упустили массу возможностей, которые открывались перед вами по работе. Но и этот поезд уже ушел. Путь закрылся. Движение остановилось.

Но это не означает, что для кого-то другого именно в этот момент отпуск не пройдет успешно. Как и в случае с турникетом, не бывает так, чтобы какой-то путь был закрыт для всех и сразу. Именно поэтому не правы те, кто рассуждает так: «И почему это он сделал карьеру, а не я? Чем я хуже?» Ничем не хуже. А чем-то, может, и лучше. Просто путь, открытый для одного человека, закрыт для другого. Закрыт, заметим, для его же блага. Чтобы он одумался и начал искать открытый путь, где его ждет максимум счастья.

Не прав и тот, кто рассуждает: «И почему это кто-то может воровать и при этом процветать, тогда как я живу честно и бедствую?» Да, для кого-то и нечестный путь может стать открытым путем. Все пути равны, и человеческая оценка их не играет никакой роли. Человек таким образом реализует свою карму, выполняет одну из кармических задач человечества и даже всей Вселенной, хоть мы со своей земной логикой не всегда можем определить, в чем смысл такой задачи. Однако не будем завидовать такому человеку — ведь он берет на себя негатив окружающих, возможно, для того, чтобы освободить от этого негатива других людей, нас с вами. Его душа, возможно, потянет на себе груз вины, а мы будем в это время свободны и счастливы именно потому, что не воровали, а жили честно.

Любой путь может оказаться для одних людей открытым, а для других закрытым. Как вы поняли, это связано не со свойствами самого пути, а со свойствами человека, продвигающегося по тому или иному пути, с тем, насколько эти свойства соответствуют этому пути.

При этом, как правило, бывает так, что закрытый путь превращается в открытый, а открытый — в закрытый, если меняются свойства человека. Свойства человека, к примеру, могут измениться так, что человек перестает соответствовать продвижению по пути, и путь закрывается. Именно с этим связаны многочисленные случаи краха карьеры людей, у которых эта карьера весьма успешно начиналась и была изначально, безусловно, открытым путем.

Каким образом именно должны измениться свойства человека, чтобы открытый путь перед ним закрылся? Перечислять можно долго, поэтому остановимся только на одном очень распространенном варианте. К примеру, человек сначала успешно продвигается по пути, и делает это легко, как бы играючи. На этом пути приходит успех, слава, материальный достаток. Но чем дальше, тем больше человек впадает в психологическую и энергетическую зависимость и от материальных благ, и от успеха, и от прочих преимуществ своего пути. Он начинает фиксироваться уже не на продвижении по пути, а на достижении этих целей. Он боится потерять то, что приобрел. А когда появляется страх, исчезает былая свобода и легкость, с которой человек шел по пути изначально. Теряя свободу и легкость, он теряет два очень важных качества, благодаря которым, собственно, этот путь и стал для него открытым. Просто значимость этого пути для человека сделалась слишком велика. Теряя необходимые качества, он теряет и тот «ключ», которым путь открывался. В итоге путь закрывается именно тогда, когда человек больше всего на свете дорожит благами, даваемыми этим путем, и боится их потерять.

То, от чего мы сильно зависим, что очень хотим иметь, — то мы, как правило, не получаем. Потому что чем больше значимость событий, тем вероятнее то, что она вступит в конфликт со значениями Мировых Течений (ведь мы не можем и знать с точностью, не так ли? Они нам даже непонятны). Ведь малозаметное не приводит к конфликту. Именно по этому поводу можно вспомнить известную пословицу: «Бодливой корове Бог рогов не дает».

Итак, что же делать, если мы столкнулись в своей жизни с закрытым путем? Прежде всего понять, что это — закрытый путь. А вот это как раз не всегда бывает просто. Ибо, как мы уже сказали, закрытый путь коварен, он вовсе не является сплошной черной полосой, он очень часто обнадеживает человека иллюзией достижимости цели.

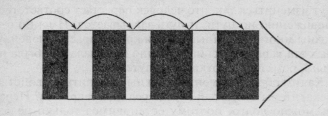

Рис. 20. Закрытый путь коварен — и чем дольше по нему идешь,
тем больше вероятность катастрофы

Когда мы сталкиваемся со сплошной черной полосой, мы сразу понимаем, что дело не выгорит. Для этого не надо быть тонко чувствующим интуитом В случае с черной полосой это абсолютно очевидно даже для самого примитивного, грубого и недалекого существа. К примеру, если нас жизнь все время не пускает в какую-то область, мы просто бросаем этим заниматься.

Иное дело закрытый путь, который не является сплошной черной полосой. Именно поэтому на закрытых путях мы страдаем и попусту тратим драгоценное время. Закрытый путь — это, скорее, серая полоса, которая то светлеет, то чернеет. И при этом даже более светлые полосы могут иногда соответствовать значимым моментам. Но вот на ключевые моменты такого пути всегда попадает черный участок. Именно поэтому цели, лежащие на закрытом пути, часто, казалось бы, бывают уже близки к осуществлению, но в ключевой момент все рушится.

Поэтому для таких путей характерна длительная внутренняя борьба, минуты обнадеженности и минуты отчаяния и в конечном итоге — неудача.

Один подающий надежды режиссер — человек очень талантливый и энергичный — в течение года бился над созданием собственного театра. Цель была самая благая — собрать актеров, сидящих без работы и без денег, дать им и то и другое, да и культуру истинную начать нести в массы. Казалось бы, в таком святом деле все высшие силы, вместе взятые, должны начать помогать. Да и сам режиссер был полон энтузиазма и целеустремленности. «Это, — говорил он, — главное дело моей жизни. Если я чего-то стою — я осуществлю это. Если нет — то и жить не стоит». Как видим, ставки были весьма и весьма высоки.

И сначала все складывалось как будто бы на удивление просто. Легко отыскалось помещение, легко нашелся спонсор. Спонсор даже выделил уже какие-то деньги, на которые удалось начать ремонт помещения. Режиссер стал собирать коллектив, начал уже даже репетировать первый спектакль своего театра. Сколько было веры в свое детище, сколько радости, сколько энтузиазма! Но тут случился в стране экономический кризис. Спонсор оказался неплатежеспособным и отказался от своих обязательств перед театром. Ремонт остановился, актеры разбежались кто куда на заработки. Засиявшая, казалось бы, впереди удача отвернулась.

Прошло время, городские предприятия стали потихоньку оправляться от кризиса — и режиссер бросился на поиски нового спонсора. И нашел его. Удача в значимой области опять дала надежду на успех. На спонсорские деньги дали часть зарплаты актерам, вновь приступили к репетициям, продолжили ремонт. Все снова воспряли духом. И тут выясняется, что руководство предприятия-спонсора замешано в крупных финансовых махинациях. Пока суд да дело — денег, естественно, не было. Затем руководство предприятия сменилось, а новая администрация отказалась спонсировать театр.

Снова крах надежд, снова все в апатии и трансе. Через какое-то время забрезжил новый луч надежды — городская администрация решила поддержать театр и под известное имя режиссера выделила какие-то небольшие деньги. Казалось бы, еще немного — и можно открыть театр, выпустить первый спектакль, а дальше уже зарабатывать самим... Мечта казалась как никогда близкой к осуществлению.

И тут случилось непредвиденное. В городской администрации сменился руководитель комитета, отвечающего за управление городским имуществом. Он решил провести ревизию всего имущества города. И обнаружил, что здание было передано театру с какими-то там нарушениями. Скорее всего, серьезных нарушений не было — просто на здание позарился кто-то побогаче, чем театр, и новый начальник не мог упустить в связи с этим и своей выгоды. Здание отняли у театра. При этом, естественно, никто не подумал о том, чтобы компенсировать хотя бы расходы на ремонт.

Такого удара режиссер не перенес. У него уже не было сил в очередной раз начинать все сначала. Он просто запил, хотя до этого крайне редко баловался алкоголем. Все шло к самому плохому концу, и в принципе его могло бы уже не быть в живых. Спасла система ДЭИР Кое-как его жене удалось вывести его из запоя, а затем заняться с ним системой по индивидуальной программе. В конце концов вернули его к нормальному состоянию. Столкнулся он с самым типичным закрытым путем, на котором всегда так и бывает — надежда то маячит, то гаснет, удача то возникает на пути, то исчезает, и когда, казалось бы, цель близка, наносится удар по самой важной, ключевой области. В итоге — полный провал, и все остаются у разбитого корыта после огромного количества затраченных сил и времени.

— Но почему этот путь оказался для меня закрытым? — восклицал режиссер. — Что, у меня таланта мало? Достаточно на троих у меня таланта! Упорства, энергии мало? Навалом! Цель была недостойная, что ли? Да придумает пусть кто-нибудь подостойнее!

Когда он немного успокоился, разобрались мы все же, в чем дело. Да, и талант есть, и цель истинная была — именно поэтому удача периодически возникала на горизонте и цель казалась близкой к осуществлению. Но впоследствии обнаружился и тот самый «молоток в кармане» — качества самого режиссера, помешавшие этому «ключу» идеально подойти к «замку». Он слишком много придавал значения финансовой стороне вопроса, и, естественно, его решения (а они должны были бы поднять театр) не были адекватны ситуации. В чем в конце концов сам себе и признался. И успокоился, поняв, что причина только в нем. Понял, что не так все безнадежно: можно изменить себя — и предпринять еще одну попытку, уже с новыми значениями, больше соответствующими избранному пути.

Так вот что происходит на закрытом пути. Здесь, как и на открытом пути, есть области значимые и области малозначимые. Здесь, так же как и на открытом пути, неудачи приходятся на незначимые области, а удача больше выпадает на значимые области. То есть правило полосатости, казалось бы, не нарушается.

Но все дело в том, что на закрытом пути значимая область тоже как бы разделяется на две составляющие — просто значимые области и области ключевые, без которых цель не может быть достигнута. И если в значимых областях еще как-то везет, то в ключевых провал обеспечен.

Для простоты объясним на самом доступном примере. Создается новое предприятие торговли — магазин. Значимые области для его владельца — добывание начального капитала для организации предприятия, подбор кадров для работы, закупка товара, организация рекламы. Ключевая область — продажа товара и получение денег от покупателя. Собственно, для этого и организуется предприятие. Допустим, в значимых областях владельца сопровождает удача — у него есть деньги, он легко закупает товар, арендует лучшее в городе помещение, оформляет его по последнему слову техники и крику моды, находит самых привлекательных продавщиц и организует самую зазывную рекламу. Но вот магазин торжественно и с помпой открывается — а покупатель-

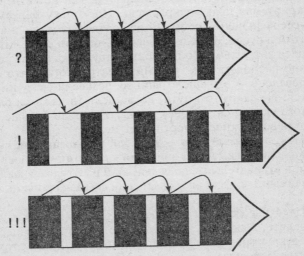

Рис. 21. Расшифровка закрытого пути по полям значений. В ерунде невезение, в важном все просто отлично... Но в ключевом — глухая стена

то не идет! Пусто в магазине. Другой вариант: большое количество товара на внушительную сумму предоставлено оптовику, который вовремя не внес деньги. Владелец магазина оказался перед лицом банкротства и долгов. В значимых областях везло, в ключевой — не повезло. Вот что значит закрытый путь.

Так происходит потому, что внутренний багаж человека — его знания, качества, свойства, то есть та информация, которую он несет в себе, в грядущих событиях неизбежно должна встретить значения Мировых Течений. И если они не совпадают... Что ж! Вы на закрытом пути. Так, в случае с режиссером его внутренний информационный багаж требовал, чтобы новый театр его прославил и принес ему много денег (причем сам режиссер этого своего внутреннего настроя практически не осознавал). А он все же (заметим, что ключевым было именно это) — создавал с нуля театр, который совсем не обязательно приносит огромное количество денег. Этот пример очень прост, и мне совсем несложно выявить истинную причину возникновения конфликта — да она совсем на поверхности: человек просто занимался достижением не той цели, которую он подразумевал! Естественно, что декларируемая цель «накрылась». Поскольку желаемые для режиссера значения событий не соответствовали значениям событий в русле Мировых Течений, то путь создания театра оказался закрытым. Но поскольку другие качества режиссера явно располагали к созданию театра, то кое-что ему все же удавалось. А это еще страшнее, чем если сразу ничего не удается. На закрытом пути, когда цель то кажется близкой, то снова удаляется, человек страдает гораздо больше, чем от явной невозможности достигнуть цели.

Итак, закрытый путь — это сбой в полосатости, смещающий положительные поля значений к событиям средней значимости, а отрицательные поля значений распределяющий между незначимыми областями и областями сверхзначимыми, ключевыми.

И для нас, как мы уже сказали, очень важно научиться определять, выяснять заранее, какой путь лежит перед нами — открытый или закрытый. И помогут нам в этом тест-системы — надежные методы определения закрытых и открытых путей.

Глава 5

Открытые и закрытые пути: методы определения

ОСНОВНОЙ ПРИНЦИП РАБОТЫ И УСЛОВИЯ ИСПОЛЬЗОВАНИЯ ТЕСТ-СИСТЕМ

Сейчас мы приступаем к одной из самых на первый взгляд загадочных областей — к области, которую можно в какой-то степени отнести к предвидению будущего. Каких только методов предсказания будущего для этой цели не изобретено! И карты Таро, и кофейная гуща, и бросание башмака за ворота — все это столетиями идет в дело с тем или иным успехом.

Но если очистить технологию от налета мистики, то не так уж смешны все эти приемы. На самом деле в основе любого гадания лежат четкие и ясные природные закономерности и особенности деятельности человеческого мозга. Многочисленные гадальщики и предсказатели просто запутывают людей своим мистическим подходом — как говорится, «пудрят мозги». В истинном, неприукрашенном и незатуманенном виде методами предсказания могут пользоваться либо предсказатели очень высокого класса (таких сейчас в мире практически не осталось), либо люди, обучавшиеся научному использованию данных методов. Современная наука может объяснить всю эту «мистику» с вполне материалистических позиций, и никаких чудес и тайн здесь нет. В чем вы сами вскоре убедитесь — ведь вы и сами будете по полному праву пользоваться этими методами, как люди, специально обучавшиеся научному подходу к этому делу.

Конечно, гаданием на картах и кофейной гуще мы с вами заниматься не будем. Мы будем использовать более точные и более простые, многократно проверенные практикой тест-системы. В качестве тест-системы, которую вы будете использовать, годится любой так называемый генератор случайных чисел. Не пугайтесь сложного названия — за ним скрывается, к примеру, обычнейший игральный кубик, на гранях которого нанесено количество очков от одного до шести, либо простая монетка, либо другие столь же несложные приспособления. Главное, чтобы это приспособление давало возможность получить какое-то одно числовое значение из списка значений — к примеру, в случае с кубиком какое-то из чисел от одного до шести.

Итак, как же можно выявлять, какой путь ляжет перед нами — открытый или закрытый, если мы поставим перед собой ту или иную цель? Большинство людей выявляют это лишь на собственной шкуре, действуя по принципу: «Сначала ввяжемся в дело, а там посмотрим». Но «шкура» ведь не железная, она от таких экспериментов получает прорехи, портится и ветшает раньше времени. Так зачем же подвергать ее и себя таким испытаниям, которые ни к чему хорошему не приводят? Не лучше ли предсказать результат заранее?

Нам надо знать именно заранее, и нам на помощь придет понимание того, что процессы Мировых Течений являются процессами глубоко синхронизированными и, соответственно, поля значений в любом процессе (даже в тест-системе), если их расположить относительно цели, будут соответствовать распределению полей значений в самом процессе достижения этой цели.

Принцип получения этого результата при помощи тест-системы таков. Ставя перед собой какую-то цель, мы мысленно соотносим желаемое для нас значение какого-либо события на предполагаемом пути с тем или иным событием, которое выдаст тест-система. То есть мы сопоставляем желаемое для нас значение с объективным значением события — и запускаем тест-систему: совпадают ли эти значения? Тест-система в наших руках выдает случайный результат, но его условное значение отражает направление, заданное Мировыми Течениями. Таким образом мы узнаем, впишется ли желаемое для нас значение в Мировые Течения или войдет с ними в противоречие. Дальнейший анализ совпадений наших вопросов и событий, выдаваемых тест-системой, поможет нам определить, открытый или закрытый путь лежит перед нами.

Можно применить такую аналогию: значение того или иного события для нас формирует собой плоскость значений. Если где-то в будущем на этой плоскости лежит что-то искажающее ее (как камень на резиновом полотне), то мы, даже не подойдя к будущему, можем выявить искажение плоскости значений по минимальным, даже случайным событиям, наделяемым нами тем же значением.

Заметим, что ответ нам дает не сама по себе тест-система, как таковая. То есть не кубик отвечает нам — кубик лишь отражает характер возникающего контакта между нашим запросом и объективно существующей реальностью. Если мы задаем вопрос по поводу, не имеющему для нас значения, — ответа не будет. Ответ дает именно сопоставление значений. Нет значения — нет и ответа. Ведь, как вы уже знаете, Вселенная говорит на языке значений, а не на языке событий.

Рис. 22.
Прогиб плоскости значений под тяжестью важного события
различим задолго до его наступления

В связи с этим вспоминается старая басня про человека, который встретил на базаре странную старуху и при этом тут же понял, что встретился со своей смертью. Заметим: он придал значение этой встрече! При этом он заметил, что старуха на него как-то недоуменно посмотрела, как будто удивилась, увидев его. Человек страшно перепугался, начал думать, куда бы ему спрятаться от смерти, и в итоге укатил в другой город, к примеру в Самару. И вот там-то его и настигла смерть. И успел он, прежде чем испустить дух, спросить у нее: «А чего это ты на меня так странно смотрела тогда на базаре?» И смерть сказала, что очень удивилась, увидев его так далеко от Самары. Ведь она знала, что этого человека она должна настигнуть именно в Самаре! А там, на базаре, она искала кого-то совсем другого...

Вот так значение, придаваемое событию, а вовсе не само событие определяет иногда судьбу человека. Ведь не придай он значения встрече на базаре — никуда бы не уехал и тем самым продлил бы себе жизнь. Нет значения — нет и результата.

Так же и в нашем с вами случае: нет для нас значения события — нет и ответа о его возможности. То есть бесполезно запрашивать о том, случится ли то или иное событие. Нужно запрашивать только о том, будет ли соответствовать смысл событий желаемому для нас смыслу.

И еще один важный для понимания принципа работы тест-систем момент. Допустим, мы запрашиваем тест-систему не о каких-то сверхзначимых в нашей жизни областях, а о чем-то, что, может быть, немаловажно для нас, но совсем не важно на уровне Мировых Течений. Ну, к примеру, мы хотим получить хороший урожай картошки и спрашиваем, насколько это реально. Напрашивается вопрос: неужели же информационное поле Вселенной снисходит до таких мелочей?

Дело здесь на самом деле не в том, снисходит кто-то или нет. Никто, конечно, не снисходит к нам, просто ответ даже на такие, казалось бы, пустяковые вопросы имеется в информационных полях. Дело в том, что на открытом пути существуют, так сказать, магистральные направления движения, основные процессы продвижения по пути, и процессы второстепенные, им сопутствующие. Если вы умудрились придерживаться магистрального направления, то и все сопутствующие процессы будут развиваться в позитивном ключе. Образно говоря, если вы правильно движетесь относительно магистрального направления своей жизни и верно реализуете свое основное назначение в ней, занимаясь верно выбранным делом, то и процессы, связанные с проведением отпуска, с выращиванием урожая и так далее, будут подстраиваться под магистральное направление и тоже приносить успех.

Итак, как же правильно использовать тест-систему? Само физическое действие, которое придется при этом производить, как вы уже поняли, будет предельно простым: вы будете либо подбрасывать монетку, либо кидать кубик, либо использовать некоторые другие приспособления, о которых будет сказано особо. Смущаться мнимой простотой этих приспособлений не надо — ведь, как вы уже знаете, дает ответ не сама тест-система, дает ответ сама структура Вселенной. А тест-система — это лишь индикатор, лишь своеобразная сигнальная лампочка, фиксирующая полученный ответ.

Для того чтобы научиться получать ответ при помощи тест-системы, надо соблюдать несколько условий. Подчеркиваю, что выполнение этих условий требует строжайшей внутренней дисциплины, и точность полученных вами результатов напрямую зависит от точности вашего разума.

Первое условие: правильная формулировка вопроса

Раз дело не в самом по себе кубике и не в монетке, а в нас самих и Вселенной — значит, надо научиться прежде всего правильно ставить вопрос.

Как вы уже поняли, при постановке вопроса надо запрашивать не о факте будущего события, а о значении. Например, не годятся формулировки типа: «Подпишет ли Иванов мою бумагу?» При такой постановке вопроса мы ориентируемся только на сам факт подписи и совершенно не берем в расчет возможные значения этого факта. Ведь может так случиться, что Иванов подпишет вашу бумагу, но это неожиданно приведет к нежелательным для вас непредсказуемым последствиям. К примеру, вы думали, что бумага вам поможет продвинуться по службе, а вместо этого ваша бумага заставила начальство обратить на вас особо пристальное внимание, к вам начали придираться по пустякам и в итоге понизили в должности. Кроме того, в вопросе нужно избегать частицы *ли* и частицы *не*, то есть заложенного уже в вашем вопросе отрицания. Лучше всего в данном случае спросить: «Иванов поможет мне?» Такой вопрос напрямую адресован в сферу значений, которая для нас как раз и важна, а не в сферу фактов.

Второе условие: умение правильно задать вопрос

Правильно сформулировать вопрос — это одно. Совсем другое — верно направить его в информационные сферы, установив связь между своим вопросом, между полем значений событий, которые нас интересуют, и между самой тест-системой.

И здесь нам опять потребуется внутренняя дисциплина, которую мы уже приобрели, осваивая вторую и четвертую ступени ДЭИР. Вы уже умеете визуализировать и наглядно представлять себе самые разные образы и удерживать их в своем сознании достаточно долгое время. Вот и сейчас вспомним и применим эти навыки.

Вам нужно предельно четко представить себе то событие или того человека, о котором, собственно, вы и задаете вопрос. Если вы задаете вопрос об Иванове, помощь которого вам нужна, — вот и представьте себе этого самого Иванова как можно более ярко и четко. После этого перенесите свое внимание на основной рабочий инструмент своей тест-системы — к примеру, это игральный кубик. Теперь вам нужно мысленно наложить образ Иванова на этот кубик. До такой степени слить их друг с другом, чтобы кубик в ваших руках на какое-то время отождествился с Ивановым. Иванов может повести себя благоприятным для вас образом, а может — неблагоприятным. Точно так же и кубик может сейчас повести себя по-разному — может выкинуть четные очки (допустим, это соответствует благоприятному поведению), а может — нечетные (что, к примеру, будет означать неблагоприятное поведение). Отождествите поведение кубика с поведением человека и, кидая кубик, старайтесь видеть перед собой не кубик, а человека вместе с возможными вариантами его поведения. Вы совершенно серьезно должны быть готовы воспринять результат, выпавший на кубике, как реальный результат поведения товарища Иванова.

Только когда вы будете четко и ясно представлять себе Иванова и отождествлять его поведение с поведением кубика — только тогда вы включите кубик в анализируемую плоскость значений. На вопрос, заданный сухо и логически, без образного представления, адекватного ответа вы не получите.

Третье условие: своевременный запуск тест-системы

После того как вы четко сформулировали вопрос, образно представили себе интересующий вас объект и отождествили его с кубиком, сразу же запускайте тест-систему.

Ни в коем случае нельзя задавать свой вопрос, а тем более менять его после того, как тест-система уже запущена, то есть когда кубик уже выпущен из рук. Это нельзя потому, что как только мы выпустили кубик из ладони, мы имеем дело, по сути, уже с существующим в мире конкретным ответом, не учитывающим наш новый вопрос. То есть ответ уже проявлен в мир — а, согласитесь, как-то глупо видеть дерево и говорить себе: если здесь есть дерево, то, значит, все будет хорошо. Это не только глупо, но и неправильно, ибо такое поведение для генерации правильного ответа должно изменить уже явленные в мир события, а сделать это может только Высшая Сила, но никак не человек. Ведь когда мы запускаем тест-систему, мы переходим из информационной области, связанной с нашим вопросом, в информационную область, где, собственно, расположен конкретный ответ. То есть мы начинаем иметь дело уже с ответом.

А когда уже есть ответ, глупо и нецелесообразно менять вопрос, на который уже существует проявленный в мире ответ, не так ли?

Четвертое условие: умение правильно отнестись к полученным результатам

Вопрос, на который вы уже получили четкий, определенный и недвусмысленный ответ, нельзя задавать еще раз. Ведь вы уже получили ответ, то есть получили некое поле значений, которое уже существует в вашем сознании. А существуя в вашем сознании, оно неизбежно воздействует и на само значение вопроса, тоже существующее в вашем сознании — воздействует так, что меняет это значение. Соответственно, задавая вопрос второй раз, вы уже будете задавать как бы несколько другой вопрос, видоизмененный полученным ответом. Соответственно, поля значений ответа на такой вопрос будут уже другими. И как вы потом разберетесь, на какой, собственно, вопрос вы теперь получаете ответ? Первоначальную чистоту ваш вопрос уже не сохранил — он видоизменен полученным ответом. А вас все-таки интересует ответ на первоначальный вопрос.

Условно говоря, вы задаете вопрос о том, поможет вам Иванов или нет. Получаете ответ, что Иванов безусловно поможет. Но решаете еще раз задать тот же вопрос, не задумываясь о том, что в переводе на русский язык ваш вопрос теперь звучит примерно так: «Мне поможет Иванов, который мне безусловно поможет?» Ясно, что на этот вопрос не может быть истинного ответа. Ответ, который вы получите в этом случае, уже вряд ли можно будет истолковать однозначно.

Другое дело, если вы с первого раза не получили четкого и определенного ответа. Допустим, вы подбросили монету, ожидая, орел выпадет или решка, а монета взяла и встала на ребро. В этом случае тест-систему допустимо использовать еще раз, снова задав тот же самый вопрос.

Допустимо использовать тест-систему по одному и тому же поводу несколько раз и в том случае, когда вы задаете тот же вопрос каждый раз с новыми нюансами либо задаете вопросы, относящиеся к разным сторонам одного явления. Например, вы спрашиваете, поможет вам Иванов или нет, и, получив, к примеру, положительный ответ, спрашиваете, поможет он вам в ближайшее время или нет, затем спрашиваете, поможет он вам в одиночку или с участием коллектива и так далее. Но такая работа требует строжайшей дисциплины и при отсутствии этой дисциплины не всегда гарантирует точность ответов. Что означает в данном случае строжайшая дисциплина? Это означает способность в процессе постановки вопросов на протяжении всей этой непростой и длительной работы сохранять полную отстраненность от результатов, доходящую до равнодушия к этим результатам. Ведь если вы будете заинтересованы в том или ином результате в момент работы тест-системы, то вы уже своей заинтересованностью воздействуете на результат и он перестает быть объективным. Поэтому данный вариант работы доступен лишь для «отличников» всех предыдущих четырех ступеней ДЭИР.

Поэтому на начальных этапах этой работы мы не будем прибегать к данному методу. А будем пользоваться только самым надежным методом, при правильной постановке вопроса не допускающим неправильных толкований. То есть мы должны определить, как распределяются значения «удача/неудача» в областях незначимых событий, событий значимых и событий ключевых. И каждый интересующий нас вопрос будем задавать только один раз.

МЕТОДЫ НАВИГАЦИИ И ТЕСТ-СИСТЕМЫ

Итак, вы уже поняли, что к помощи тест-системы мы будем прибегать для того, чтобы определить, с открытым или с закрытым путем мы столкнулись

Кто-то может сказать: но неужели недостаточно для этого воспользоваться собственной интуицией, собственными навыками предвидения будущего, полученными на предыдущих ступенях ДЭИР, — уж нам-то, прошедшим все эти ступени, это не составит большого труда, зачем еще какие-то тест-системы? Все правильно, иногда можно воспользоваться и собственной интуицией — если дело идет об открытом пути, результат вы получите, скорее всего, верный. Но вот если вы столкнетесь с закрытым путем, то очень велика вероятность, что даже самая развитая интуиция не распознает этот путь и совершит ошибку, дав вам ложный ответ. Все дело в том, что в случае, когда мы имеем дело с закрытым путем, в нашем сознании существуют желательные для нас значения будущих событий и фактов, не совпадающие с объективными значениями этих событий и фактов, задаваемыми Мировыми Течениями. А наша интуиция в этом случае за истинные принимает именно наши собственные, субъективно желательные значения и абсолютно игнорирует значения объективные. Дело усугубляется нашим желанием достичь цели, то есть желанием, чтобы путь оказался открытым.

Все это сбивает нас с настройки. Сбивает нас и то, что закрытый путь проходит частично через светлые полосы, и положительный сигнал от этих светлых полос (о том, что частично мы все-таки будем достигать успеха) мы улавливаем легче и четче, зачастую воспринимая его как сигнал об открытости всего пути.

И только тест-система даст нам поистине объективный ответ, никак не зависящий от нашего воображения, от нашего желания подсознательно его фальсифицировать или видоизменить.

Надеюсь, что я вас убедил в необходимости использовать тест-системы и не всегда доверяться исключительно интуиции? Тогда приступим собственно к знакомству с тест-системами. Только обратите внимание: приступать к освоению последующих шагов системы ДЭИР можно только после того, как вы выполнили предыдущие шаги. Естественно, после того как вы освоили все предыдущие четыре ступени — иначе у вас недостаточно внутренней самодисциплины и нет необходимого уровня сознания для надежной работы с тест-системами. И конечно, только после того, как вы выполнили шаги, изложенные уже в этой, пятой книге, то есть шаги по включению себя в режим управляемой полосатости. Если вы этого не сделали, все результаты, данные тест-системой, не будут иметь для вас никакого смысла.

Система ДЭИР
Ступень V

Шаг 3. Тест-системы для анализа степени открытости пути

Все тест-системы можно разделить на две группы — это системы двоичные и системы многозначные.

Двоичная система — это система, которая может дать только два варианта ответа: «да» или «нет». Многозначная система дает большее число вариантов ответов. Например, она по определению может предполагать несколько вариантов отрицательных ответов и один положительный. Либо варианты ответов типа «да» — «не совсем да» — «скорее нет» — «нет». То есть многозначные системы, если можно так выразиться, намного чувствительнее двоичных, так как они улавливают и передают нюансы ответа, недоступные для двоичной системы. Вместе с тем и многозначная, и двоичная системы достаточно беспристрастны и объективны.

Здесь будут приведены примеры тест-систем как одной, так и другой разновидности.

Двоичная система — Зубочистка

Берем чистый лист бумаги и чертим на нем вертикальную черту, разделяющую лист надвое. Определяем значения: правая сторона листа — «да», левая сторона листа — «нет». В своем воображении совмещаем поля значений «да» с правой стороной, поля значений «нет» — с левой стороной. Закладываем это разделение в свое сознание. Затем берем зубочистку и, держа ее за самый кончик двумя пальцами, удерживаем ее вертикально прямо над чертой на листе бумаги, так, чтобы второй кончик «смотрел» прямо на черту. Четко формулируем вопрос, мысленно совмещаем образ интересующего объекта с зубочисткой, после чего выпускаем ее из пальцев. Куда упала зубочистка — на правую или на левую сторону листа? Соответственно вы получили ответ «да» либо «нет».

Двоичная система — Спичка

Берем в руки незажженную спичку. Затем формулируем вопрос и мысленно совмещаем образ объекта со спичкой. Определяем значения: спичка отклоняется вправо — «да», влево — «нет». Зажигаем спичку и смотрим, в какую сторону она склоняется по мере сгорания.

Двоичная система — Монета

Совершенно классический вариант: подбрасывание монеты с загадыванием, что выпадет — орел или решка. Здесь даже заранее не надо установку давать, где «да», а где «нет», это столетиями устоявшаяся традиция: орел — «да», решка — «нет».

Многозначная система — Игральные кубики

Игральные кубики, как вы знаете, это кубики, на гранях которых выбиты очки от одного до шести. Эту систему хорошо использовать, к примеру, когда мы хотим узнать, сколько у нас шансов получить положительный результат. Произвольно определяем ту грань кубика, которая будет у нас означать «да». При этом по определению, если мы сосредоточены на положительном ответе, то есть на вполне определенном числе, то система может показать либо положительный ответ, либо неопределенный.

И вот здесь мы впервые можем увидеть достоинство многозначной системы, потому что нас будет интересовать, сколько раз пришлось бросить кубик, чтобы добиться положительного ответа. Далее вычисляем процент, соответствующий нашим шансам на успех.

Многозначная система — Несколько монет

Эта система аналогична кубикам. Мы сосредоточены на положительном ответе — например, нас интересует определенное количество «орлов» — и получаем информацию, сколько раз нам пришлось бросать монеты, чтобы добиться положительного значения. Это количество «орлов» должно выпасть в одном броске.

Многозначная система — Случайные события

Очень интересный и оригинальный вариант тест-системы. Не нужны ни кубики, ни монеты, никакие другие приспособления. Используем для получения ответа на вопрос разнообразные случайные события нашей жизни. Например, мы идем по улице (или смотрим в окно) и загадываем: кто встретится нам (появится из-за поворота, пройдет мимо дома), мужчина или женщина? Если мужчина — это положительный ответ, кто угодно другой — отрицательный, женщина — отрицательный (или наоборот, ваши установки зависят только от вашего желания). И опять-таки нас будет интересовать, сколько испытаний тест-системы пришлось провести, чтобы получить положительный ответ.

Эта система может быть использована и в качестве двоичной, когда мы задаем, например, вопрос, есть кто-то за поворотом или нет.

Система ДЭИР
Ступень V

Шаг 3а. Внутренняя формулировка вопроса и запуск тест-системы

Вы уже знаете общие правила: то, что вопрос должен быть сформулирован в положительном ключе, без использования частиц *не* и *ли*. То есть мы задаем вопрос в форме полуутверждения, к примеру: «Деньги выплатят?» Или даже в форме утверждения, сопровождаемого вариантами значений: «Деньги выплатят. Да? Нет?»

Вы уже знаете и то, что тест-систему следует запускать в действие только тогда, когда вопрос уже сформулирован, и не раньше, иначе результат окажется непредсказуемым, так как мы, запустив тест-систему, в любом случае уже столкнемся с какой-то проявленной в мир цепочкой событий, которая заложена в предполагаемой зоне ответа.

Но сначала самое главное — это правильно, с точностью, с необходимой сосредоточенностью задать сам вопрос. И здесь нам потребуется весь наш опыт, вся наша внутренняя дисциплина, выработанная занятиями системой ДЭИР.

Для этого закройте глаза и обнаружьте у себя во внутреннем пространстве (как вы это уже делали при обнаружении областей «хорошо» и плохо») сам предмет, о котором вы собираетесь задавать вопрос. Например, если вопрос касается денег, обнаружьте, где в вашем внутреннем пространстве находится зона, отвечающая за деньги. Если вопрос касается везения на экзамене, обнаружьте, где зона, отвечающая за экзамены. Или где зона, соответствующая той области, в которой вам должен помочь товарищ Иванов. И так далее. Проявите в своем внутреннем пространстве все детали, соответствующие вашему вопросу, то есть увидьте Иванова, склоненного над вашей бумагой, или в случае с экзаменом экзаменатора, перед которым вы сидите с билетом в руках, и так далее. То есть вам надо предельно насытить конкретикой вашу внутреннюю картинку.

Затем вы должны полностью отождествить эту картинку с тест-системой. Вернее, даже не столько всю картинку полностью, сколько ключевой и действующий объект этой картинки, от которого, собственно, и зависит ответ «да» или «нет», то есть с Ивановым, с экзаменатором, с тем, кто вам платит деньги, либо с другим значимым элементом, если решение вашего вопроса не зависит от людей (к примеру, с самолетом, на котором вы собираетесь лететь и хотите узнать, как много у вас шансов долететь), и так далее. Это очень важно — именно полностью отождествить предмет, используемый в вашей тест-системе — кубик, монету, зубочистку — с действующим объектом интересующей вас области. Потому что если уж вы задались целью выяснить, насколько именно Иванов будет способствовать достижению вами цели, то и кубик, монета или зубочистка в ваших руках должны означать именно Иванова, а не просто неживой бессмысленный предмет.

Вы как бы на время одушевляете и оживляете этот предмет, наделяя его чертами и свойствами вполне конкретного лица. Лучше всего это сделать, просто разместив в своем внутреннем пространстве действующий предмет тест-системы в той же самой области, где находится действующий объект (или значимый элемент, в случае если решение вашего вопроса не зависит от людей). Наложив эти две детали друг на друга в вашем внутреннем пространстве, попытайтесь их как бы слить воедино, словно слепить в один снежный ком, перемешать в однородную массу, где сливаются черты кубика и Иванова, зубочистки и самолета, спички и экзаменатора и так далее.

Как только вы это сделали, сразу же запускайте тест-систему в действие, то есть бросайте монету или кубик, или поджигайте спичку, или начинайте следить, кто первый появится из-за поворота.

При работе с двоичной системой просто зарегистрируйте показания и при желании переходите к следующему вопросу. При работе с многозначной системой зарегистрируйте количество попыток до получения первого положительного ответа, затем при желании можете сосчитать количество положительных ответов из произвольного числа попыток.

Далее приступайте к интерпретации полученных результатов.

Система ДЭИР
Ступень V

Шаг 3б. Интерпретация показаний двоичных тест-систем

Двоичным системам, как более грубым, недостаточно чувствительным к различным тонкостям и оттенкам, лучше задавать незамысловатые вопросы, требующие однозначного ответа — «да» либо «нет» — и не допускающие нюансов. Если сам вопрос предполагает нюансы и промежуточные между «да» и «нет» ответы — двоичной системой лучше не пользоваться.

При работе с двоичной тест-системой лучше чередовать вопросы из незначимой области с вопросами из значимой области. Лучше всего это делать так: сначала задать от трех до пяти вопросов из незначимой области (будет хорошая погода или нет, придет вовремя трамвай или нет), затем столько же вопросов из значимых и ключевых областей (поможет Иванов или нет, будут деньги или нет).

Затем подсчитываем результаты, то есть число положительных и отрицательных ответов в значимых и незначимых областях. Есть ли область, в которой обнаруживается подавляющее большинство положительных ответов? К примеру, вы задали по три вопроса из незначимой и из значимой сфер, и оказалось, что в незначимой сфере ни одного положительного ответа из трех или всего один из трех, а в значимой — три положительных ответа из трех либо, как минимум, два из трех.

Как можно интерпретировать данный результат? Вы, конечно, легко это поймете, ведь вы уже знаете, что преобладание неудач в незначимых сферах и концентрация удач в значимых и ключевых сферах означают, что перед вами открытый путь.

Если же мы видим, что перевес неудач приходится на значимую сферу — значит, вы серьезно ошибаетесь, надеясь на этот путь. Он лежит целиком в черной полосе. Это даже не закрытый путь — это просто черный для вас путь, где цель изначально недосягаема для вас, а потому вам там просто нечего делать. Если прибегнуть к гиперболе, то именно такой результат получил бы пьяница-грузчик, если бы вздумал испытать тест-систему на предмет того, станет он солистом балета или

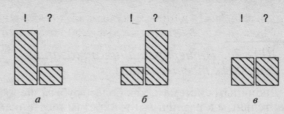

Рис. 23.

а. Удача рапределена в значимой области. Путь открыт.
б. Удача лежит в области незначимой. Черная полоса.
в. Ни то ни сё. Потенциально закрытый путь

нет. Отказываясь от такого пути, вы нисколько не страдаете, потому что это очевидно не ваш путь, и в принципе ни одному здравомыслящему и психически нормальному человеку не придет в голову попытаться пойти по такому пути.

А вот если мы столкнулись с примерно равными (отличающимися меньше чем на треть) показаниями и в значимой, и в незначимой областях, то это означает одно из двух. либо вы не включились в режим управляемой полосатости (то есть некачественно выполнили второй шаг пятой ступени ДЭИР), либо вы имеете дело с неподдающимся зонированной полосатости закрытым путем. А значит, чтобы оценить степень закрытости этого пути, придется прибегнуть уже к помощи многозначной тест-системы.

Но сначала все же как следует потренируйтесь в получении ответов от двоичных тест-систем. Добейтесь легкости и в формулировании вопросов, и в интерпретации ответов. При этом имейте в виду, что двоичные системы, конечно, не так точны, как многозначные, а потому не спешите воспринимать ответы двоичных тест-систем как руководство к действию. Отнеситесь и к этим ответам отчасти как к игре, как к одному из вариантов возможного хода событий, но постарайтесь не впускать эти ответы слишком глубоко в свое сознание, а для этого не воспринимайте их слишком серьезно.

К примеру, вы задаете при помощи двоичной тест-системы вопрос о том, любит вас какой-то человек или нет, получаете слишком однозначный ответ, который наверняка лишь весьма приблизительно отражает действительность и не допускает нюансов (хотя в жизни всегда присутствуют нюансы, и иногда именно в них-то все и дело, но двоичная система просто не имеет инструмента для отображения этих нюансов). Черно-белый без оттенков ответ может породить такое же черно-белое поведение по отношению к человеку, о котором вы задавали вопрос. Скажем, вы получаете ответ «не любит» и при этом ничего не узнаете о существовании некоего нюанса, а именно: не любит, но готов полюбить при условии некоторого изменения вашего отношения к нему, допустим, если вы станете мягче и добрее. Но вы, ничего не зная об этом «но», а усвоив только то, что ответ отрицательный, не только не становитесь мягче и добрее, а напротив, начинаете обижаться, злиться и вести себя агрессивно. И тем самым не оставляете себе никаких шансов на положительное для вас развитие событий, хотя такой шанс изначально был.

А потому не относитесь слишком однозначно и серьезно к показаниям двоичных тест-систем, знайте, что в жизни на самом деле гораздо больше вероятных вариантов событий, чем демонстрирует нам спичка или зубочистка, и очень часто эти варианты зависят от вас.

Бывают и такие вещи: вы сегодня в плохом настроении и задаете вопрос о том, выйдете вы замуж или нет. Получаете ответ «нет». И не знаете, что это надо понимать так: если будете впадать в уныние и вечно пребывать в таком плохом настроении, то не выйдете замуж. А вот если бы вы задавали этот вопрос в веселом настроении, то получили бы ответ «да». Тест-система дает ответ с учетом положения дел именно в данный момент времени, учитывая все информационные показатели, относящиеся к данному моменту, в том числе и относящиеся к вашему внутреннему состоянию. Через десять минут ваше состояние может измениться — и тогда ответ может оказаться другим, так как вместе с вашим состоянием изменится и вероятность событий. Так что двоичная система — вещь достаточно капризная в использовании.

Значения, которые мы получаем при помощи двоичной тест-системы, слишком мощны, чтобы не оказывать влияния на наше поведение. А потому используйте показания двоичных тест-систем разве что для подготовки к действию, а не как руководство к действию. Двоичная тест-система — это своего рода разведка, предварительный анализ ситуации.

Система ДЭИР
ступень V

Шаг 3в. Интерпретация показаний многозначных тест-систем

При использовании многозначных тест-систем лучше всего задавать по три вопроса поочередно из трех областей: сначала три вопроса из области незначимых событий, затем три вопроса из области значимых событий и еще три вопроса из области ключевых событий. Примеры вопросов: «Будет хорошая погода или нет, когда я завтра поеду закупать товар?» (незначимая область). «Закуплю я товар по выгодной цене или нет?» (значимая область). «Реализую я этот товар с выгодой для себя или нет?» (ключевая область).

Оценивается количество попыток, после которых получен первый положительный ответ. К примеру, вы используете кубик и, задавая вопросы из незначимой сферы, дали установку, что выпадение кубика вверх гранью с четырьмя очками будет означать ответ «да» на вопрос, будет завтра хорошая погода или нет. Этот ответ выпал с третьей попытки. Соответственно, количество неудач в этой сфере составляет два шанса из трех, то есть около семидесяти процентов.

Далее сопоставляется процентное выражение удачи и неудачи по всем трем областям — незначимой, значимой и ключевой.

И здесь могут возникнуть следующие варианты.

Первый вариант. Неудача в незначимой области значительно больше неудачи в значимой и ключевой областях (последние либо практически совпадают, либо отличаются не более чем на двадцать процентов). Если мы, сложив процентное соотношение неудачи в значимой области с процентным соотношением неудачи в ключевой области и полученную сумму разделив на два (получив таким образом среднее арифметическое), увидим, что этот результат, как минимум, вдвое ниже количества неудачи в незначимых областях, — мы однозначно имеем дело с открытым путем.

Второй вариант. Неудача в незначимой области значительно (минимум вдвое) меньше среднего арифметического неудач в значимой и ключевой областях, при этом неудачи в

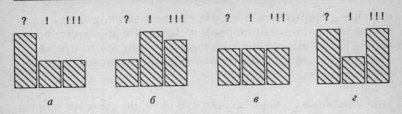

Рис. 24.

а. Неудача в пустяках — открытый путь.

б. Неудача во всем важном. Черная полоса.

в. Всего поровну. Либо неинтересен вопрос,
либо не выставлена полосатость.

г. Неудача в пустяках и ключевом. Путь надежно закрыт

значимой и ключевой областях распределяются примерно поровну, отличаясь не более чем на двадцать процентов. Это значит перед вами черный путь, он для вас нереален, а потому отпадет сам собой без особого ущерба для вас.

Третий вариант. Неудачи поровну распределяются между незначимой, значимой и ключевой областями. Это означает: либо вы не включились в режим управляемой полосатости, либо некорректно задавали вопросы, либо цель, которую вы хотите достичь, а соответственно и тема, по которой задавались вопросы, на самом деле абсолютно для вас незначим, практически безразличны. Тут нужно задуматься: а зачем вообще вы стремитесь к цели, которая для вас незначима, которая вам безразлична и явно не нужна? Впору вернуться к методикам второй ступени ДЭИР и начать проверять вашу цель на истинность.

Четвертый вариант. Наибольшее количество неудач сосредоточилось в незначимой области и ключевой области (их количество примерно равно в этих областях, отличается не более чем на двадцать процентов). В значимой же области — наименьшее количество неудач (менее чем вдвое по сравнению со средним арифметическим неудач в незначимой и ключевой областях). Ответ: это закрытый путь.

Все остальные варианты — это только разные степени градации открытых и закрытых путей. При помощи многозначной тест-системы, определив процентное количество удач и неудач в той или иной области, мы можем определить и степень закрытости пути. Не стесняйтесь подходить к работе с тест-системами творчески. Задавайте дополнительные вопросы для выяснения нюансов того или иного ответа, то есть закрыт для вас путь окончательно и бесповоротно, или есть варианты.

Определив степень закрытости пути, вы сможете в связи с этим решить, стоит вам попытаться преобразовать этот путь в открытый или оставить надежду раз и навсегда. Как мы уже говорили, есть ситуации, когда закрытый путь можно превратить в открытый.

Но прежде нам надо будет научиться грамотно строить свое поведение в соответствии с тем результатом, который мы получили, то есть научиться адекватно вести себя на открытых и на закрытых путях. О правилах такого поведения мы на ближайших страницах и поговорим.

А пока проверьте изложенные тест-системы в действии. Попробуйте проанализировать, к примеру, какое-то одно направление, которое для вас сейчас интересно. Не замахивайтесь сразу на сверхзначимые события — ограничьтесь событиями средней значимости. Например, проанализируйте, удастся ли вам совершить какую-то крупную покупку и получить от этой покупки тот результат, который вы ждете, в наилучшем виде. Вы увидите, что по всем направлениям, которые вы анализируете, вероятности в значимых и незначимых сферах сильно отличаются.

А теперь попробуйте проанализировать тот путь, на котором вы уже побывали или находитесь сейчас. Только возьмите для анализа те события, которые были относительно недавно — ведь сферу значений давних событий ваше сознание уже могло переоценить. Вы увидите, что тест-система подтвердит вам уже имевшее место распределение событий на вашем пути. К примеру, вы очень хорошо этим летом отдохнули. Задавайте вопросы: «Я отдохнул хорошо. Да? Нет? Море теплое. Да? Нет?» Вы увидите, что тест-система все отразит в том виде, в каком оно и было на самом деле. Конечно, это произойдет только в том случае, если вы правильно включились в режим управляемой полосатости.

Был интересный случай с одним из наших слушателей. Дойдя до этого места освоения системы, он решил проанализировать тот путь, на котором он находился в данный момент времени — причем он был уверен, что это путь открытый, настолько все складывалось легко и гладко. Это был путь к новой престижной должности, в которой его уже практически утвердили, и буквально на завтра было назначено его торжественное вступление в эту должность. Тест-система подтвердила все имевшие место удачи на пути к этой должности. Но когда дело дошло до главного вопроса: «Завтра я вступаю в новую должность?», тест-система ответила «нет». Он было засомневался в системе, решил все выбросить из головы, ведь назначение уже, казалось бы, не подлежало сомнению, но что-то не давало ему покоя. И он с помощью тест-системы решил выяснить нюансы — почему получен отрицательный ответ. Начал снова задавать вопросы. «Неудача связана с моим уровнем квалификации?» Нет. «Неудача связана с тем, что завтра сменится руководство организации?» Нет. «Неудача связана с происками и интригами недоброжелателей?» Да. Вот оно! Искомая опасность обнаружена.

И тут нашему слушателю пришлось активно поработать головой. Он вспомнил, что в последнее время вокруг него и впрямь раздавалось какое-то неприятное шушуканье, а молчание некоторых коллег было явно подозрительным и где-то даже угрожающим. Он вспомнил случайно услышанный в курилке обрывок разговора, на который он тогда не обратил внимания. При его появлении говорившие резко замолчали, но он успел понять, что говорили о нем и, кажется, обсуждали какое-то событие трехлетней давности — какую-то его неудачу или провал... Вот что! Три года назад с ним случилась неприятность. Он провалил важное задание. И действительно был в этом виноват. Не хватило опыта, недостаточно ответственно подошел к делу... Был грех, никуда не денешься.

На следующее утро он первым пришел на работу и поймал директора организации буквально в дверях. Он честно рассказал директору о той своей ошибке и о том, что в провале той работы был виноват именно он. Он сказал, что, имея за плечами столь печальный опыт, наверное, недостоин занимать новую высокую должность. В этот момент он действительно был готов отказаться от нее.

Но директор только улыбнулся. И сказал: «Что я в вас действительно ценю, Иван, — так это вашу честность и порядочность. Сейчас, когда вы правдиво и прямо рассказали об этом случае, я еще больше убедился, что не ошибся в вас, что именно вы, и никто другой, достойны занимать эту должность. Вот если бы об этом мне рассказали не вы, а кто-то из ваших коллег — я бы задумался... Может, и нашел бы вам замену. Но раз так — идите и не забудьте: сегодня в час дня в моем кабинете ваше торжественное вступление в должность».

Когда он выходил из кабинета директора, то увидел в приемной группу своих недоброжелателей, которые, конечно же, пришли, чтобы донести директору о его прошлых ошибках. Он опередил их буквально на пять минут. И, естественно, интриганы вышли из кабинета ни с чем. Директор сказал им: «В чем дело, товарищи? Данный вопрос мы давно обсудили с Иваном Ивановичем, и у меня к нему нет претензий. А вот интриг в своем коллективе я не потерплю. Если еще раз замечу подобное, возможно, вам всем придется задуматься о другой работе».

Вот так тест-система спасла человеку карьеру и позволила сохранить доброе имя и хорошую репутацию.

Итак, вы научились пользоваться тест-системами. Теперь вы можете получить нужную вам информацию о предстоящих событиях. Надеюсь, вы уже поняли, насколько важны для вас эти новые знания и новая полученная информация. Ведь, как известно, кто предупрежден — тот вооружен. Вы теперь предупреждены, причем предупреждены при помощи проверенных методов, которые по степени надежности значительно превосходят обычные инстинкты, интуицию и предчувствия. Вы вооружены знаниями. Вы вооружены практическими навыками их применения. Вы вооружены глубокой внутренней дисциплиной. Это значит, вы можете получить четкий и точный ответ относительно предстоящих событий — значительно более корректный ответ, чем те размытые смутные ответы, которые обычный человек получает с помощью своих неразвитых инстинктов в виде каких-то неопределенных ощущений. Вы владеете инструментом совсем другого уровня — уровня, достойного человека новой эволюционной ступени. А посему примите самые искренние поздравления: сегодня вы получили информацию, которая может изменить всю вашу жизнь!

Однако иногда так случается, что человек, даже будучи предупрежденным, все же не обращает внимания на эти предупреждения. И, ведя себя столь опрометчиво, попадает в какую-нибудь передрягу. Дело в том, что мало просто иметь нужную информацию — надо еще уметь правильно ее использовать. И только научившись правильно ее использовать, мы сможем избежать множества ловушек, которые так часто выставляет на нашем пути наше же собственное сознание Избежав этих ловушек, мы сможем воспользоваться полученной информацией по назначению — а значит, преуспеть.

Чтобы научиться правильно пользоваться полученной информацией, надо усвоить правила поведения на открытых и закрытых путях

Глава 6

Открытые и закрытые пути: правила поведения

ВНУТРЕННИЙ КРИТИК

Итак, человек, к сожалению, не всегда прислушивается к полученному совету, будь он даже трижды правильным. И виной тому та часть нашего разума, которую можно назвать внутренним критиком.

Что такое внутренний критик? Это некая смесь из обрывков логики, кусков памяти и потока эмоций. Очень неустойчивая, надо сказать, эта смесь — что-то вроде селевого потока или подземного плывуна. Так и колеблется этот внутренний критик из стороны в сторону, так и норовит повернуть совсем в другое русло направление нашего движения.

С внутренним критиком вы, конечно же, сталкивались в своей жизни не раз. Вспомните, как это бывает: вот, казалось бы, принято важное и единственно верное решение. В тот момент, когда вы принимали это решение, вы были уверены в его правильности на сто процентов. Но проходит какое-то время, и откуда-то всплывают непонятные сомнения. «А вдруг это решение не самое правильное?» — ехидно спрашивает внутренний критик, ведь он ничего не может принять просто так, без критики. Он просто создан для того, чтобы во всем сомневаться. Сомневаться иногда бывает полезно, никто не спорит, но вот тогда, когда речь идет о единственно правильных решениях, сомнения ничего, кроме вреда, не приносят. Они только провоцируют вас на гигантский и абсолютно бессмысленный расход сил и энергии. Они изматывают вас, и в итоге вы все равно приходите к тому, что то первоначальное решение было единственно правильным.

Внутренний критик создает своего рода волну, рябь на поверхности нашего разума, тогда как глубинные части разума все равно продолжают пребывать в спокойствии и уравновешенности. То есть в глубине своего разума мы точно знаем, какое решение является правильным, а какое неправильным. Но внутренний критик, поднимая волну на поверхности разума, может лишить нас доступа к информации, заложенной в глубине разума. Попросту сбить с толку.

Одна из моих старых знакомых до начала обучения настолько была подвержена воздействию внутреннего критика, что даже практически не могла принять в своей жизни ни одного более или менее важного решения. Из-за этого она упустила все счастливые шансы в своей жизни. Найдя интересную работу, она была готова устроиться туда, но тут включился внутренний критик и начал нашептывать: «Это не самая лучшая работа, ты найдешь лучше». Пока она сомневалась, работодатели нашли другого претендента, а она осталась у разбитого корыта. Встретив любимого человека, она уже собралась выйти за него замуж, но внутренний критик и тут начал ее терзать: «Куда ты торопишься, ты найдешь жениха и получше». Два года прошло во внутренних терзаниях и колебаниях, все это время она тянула со свадьбой. Наконец ее жених, устав все это терпеть, женился на другой. Уже потом она поняла, как много она потеряла — ведь это действительно была ее работа, и это действительно был ее человек, о чем ей и подсказывала интуиция, когда она изначально без сомнений и колебаний принимала решение о том, чтобы устроиться на работу, чтобы выйти замуж. Первое решение было правильным! Внутренний критик включался уже потом. Заметьте: первая мысль, первое

решение, первое впечатление, как правило, бывают пра-
вильными, и лишь потом вас сбивает с толку ваш внутренний критик, словно ржавчиной разъедая ваш разум.

Пройдя небольшое обучение, дама сумела справиться с
этой проблемой — теперь она легко и быстро принимает решения в значимых для себя областях, не давая воли внутреннему критику. Правда, как это часто бывает, ее проблемы переместились в другой пласт: из сферы значимых событий в сферу незначимых событий. Легко, быстро, без
сомнений и колебаний принимая единственно правильные
и верные решения в сфере профессии и личной жизни, она,
к примеру, испытывает серьезные затруднения при посеще-
нии магазинов самообслуживания, где надо самостоятельно выбирать продукты. Она, скажем, может час простоять,
у контейнера с яблоками, перебрать все яблоки, на каждое
взглянув критически, и уйти, так ничего и не выбрав. Но в
целом-то ученица оказалась способная, и я надеюсь, та работа над собой, которую она сейчас проводит, поможет ей
справиться и с этой, в общем-то не такой значительной
проблемой.

Итак, как вы поняли, внутренний критик — это не слишком подконтрольные для нас части нашего разума, которые
сбивают, стараются видоизменить поля значений на интере-
сующем нас направлении. Только мы вышли на верное для
нас направление, как включаются неподконтрольные эмоции, которые заставляют логику и память начать выстраи-
вать какое-то другое направление нашего предполагаемого
движения, на самом деле нам совсем не нужное. Поля значений, видоизмененные внутренним критиком, могут привести нас совсем не туда, куда нам нужно, и сбить даже с открытого пути.

Что же делать нам с внутренним критиком, от которого
столько вреда?

Мы должны научиться устранять влияние этих изме-
ненных полей значений и таким образом нивелировать
внутреннего критика. Ведь, как мы знаем, глубинный разум воздействием внутреннего критика не затрагивается.
Глубинный разум сохраняет правильные и истинные поля
значений. Значит, нам надо просто «нырнуть» вглубь своего разума и вытащить оттуда истинные значения ситуа-

ций, фактов, событий, которые не смог изменить внутренний критик.

Вооружившись этим знанием, рассмотрим теперь правила поведения на открытом пути.

ПРАВИЛА ПОВЕДЕНИЯ НА ОТКРЫТОМ ПУТИ

Мы с вами уже знаем, что такое открытый путь. Открытый путь — это путь, совпадающий по полям значений с тенденциями Мировых Течений. Значит, он не подвергается противодействию со стороны Мировых Течений и, соответственно, позволяет нам в общем-то беспрепятственно достигать цели. Кроме того, этот путь поддается правильному зонированию в режиме управляемой полосатости, то есть светлые полосы приходятся на значимые события, темные — на незначимые.

Собственно, вы уже очень много знаете о том, как вести себя на открытом пути и как этот путь проходить. Ведь именно для открытых путей подходят все методики, включенные во вторую ступень ДЭИР! Так что для вас в этом практически нет никаких загадок. Правильно использованные программы второй ступени — программы на выявление истинности желания, на эффективность действий, на удачу и везение, на уверенность в себе — сами собой уже способны устранить возможные препятствия со стороны некоторых структур нашего сознания и заставляют наше подсознание, вооруженное навыками действия в энергоинформационной среде, продвигать нас с каждым шагом все ближе и ближе к цели. Для тех, кто недостаточно четко усвоил методики второй ступени (если есть такие среди читателей), очень и очень желательно, прежде чем дальше осваивать материал, связанный с продвижением по открытому пути, еще раз обратиться ко второй книге — «Становление» и еще раз пройти все ее ступени, либо пройти очные курсы.

Если же на открытом пути вы встречаетесь с человеком, управляемым энергоинформационными паразитами, и он пытается вам противодействовать (а такое бывает даже на открытых путях), то здесь помогут техники третьей ступени. Ведь вы уже все это знаете, все умеете, навыки преодоления подобных препятствий уже заложены в вас и не раз испробованы на практике. Вы, конечно, знаете, как это делается, и можете отрезать от воздействия паразита находящегося у него в плену, а потому мешающего вам человека, можете и перепрограммировать этого человека, принеся таким образом пользу и ему, и себе. Вы все это можете. А если немного забыли, как это делается, или сомневаетесь в себе — обратитесь снова к книге третьей — «Влияние», и необходимый комплекс знаний и навыков, заложенный в вас на третьей ступени, снова оживет, освежится в вашей памяти, в сознании и подсознании, и вы увидите, что препятствий в виде других людей, управляемых энергоинформационными паразитами, для вас практически не существует.

Итак, вы видите, что для вас, прошедших серьезную подготовку, вышедших на новый уровень развития, все достаточно легко и просто, и продвижение по открытому пути, в принципе, не представит никаких проблем, если уж вы этот открытый путь при помощи методик, изложенных уже в этой, пятой книге, обнаружили и утвердились на нем. Осталось совсем немного — научиться справляться с внутренним критиком, если уж он совсем разбуйствуется.

Поэтому, обобщая вышесказанное, выведем три правила, которые нам нужно выполнять, чтобы успешно двигаться по открытому пути.

Правило номер один: для наибольшего успеха продвижения по открытому пути следует воспользоваться программами второй ступени — на удачу, везение, эффективность действий и уверенность в себе.

Правило номер два: и на открытом пути нужно быть готовым выявить человека, посредством которого вам противостоят энергоинформационные паразиты, и нейтрализовать их воздействие, применяя техники третьей ступени.

Правило номер три: мы всегда должны предусматривать, что наше сознание могло получить новый букет неверных значений со стороны внутреннего критика, и это может нас сбить с верного направления движения к цели. Это влияние нужно устранять.

Именно на устранение воздействия внутреннего критика и направлен четвертый шаг данной ступени ДЭИР.

Система ДЭИР
ступень V

Шаг 4. Коррекция выполнения этапов открытого пути с восстановлением истинных полей значений

Вы уже поняли, что внутренний критик — это поверхностная часть нашего сознания и вместе с тем более активная, чем глубинные части. Именно ее непомерная активность приводит к тому, что нам начинает казаться, что поступить нам надо совсем не так, как мы собирались изначально. Решили, что сделаем так, а внутренний критик, волнуясь и бушуя, требует: нет, сделай эдак!

Значит, для того чтобы нейтрализовать внутреннего критика, нам надо «нырнуть» поглубже в стабильные, глубинные слои нашего разума и вытащить оттуда глубинные, истинные значения своих поступков, фактов, событий и целей. Как? Очень просто: нам надо только спровоцировать разум выдать нам свое глубинное содержание — ведь иначе для нас так и останутся доступными лишь его поверхностные слои.

Можно провести такую аналогию: вы смотрите на экран компьютера и видите там красивую движущуюся заставку. Человек несведущий или, к примеру, ребенок может подумать, что вот это и есть основное назначение компьютера — показывать такие красивые цветные живые картинки. Но человек сведущий знает, что надо только нажать кнопку — и заставка исчезнет и можно будет получить доступ к огромному количеству важнейшей информации, хранящейся в компьютере.

Точно так же и наш разум очень часто сбивает нас с толку красивыми подвижными картинками, за которыми он прячет истину. Но спровоцировать наш разум убрать эти картинки и открыть истинную информацию не сложнее, чем нажать кнопку на компьютере. Только в случае с разумом роль этой кнопки будет выполнять уже знакомая нам монетка.

Начнем с не самого ключевого события в нашей жизни. Допустим, вы долгое время копили деньги, чтобы купить шубу. Причем, когда денег еще не было и вы только мечтали о шубе, вы точно знали, какую именно шубу вы хотели. Она просто стояла у вас перед глазами. Но вот нужная сумма собрана. И вот тут-то вы сталкиваетесь с муками выбора: а может быть, мне лучше купить какую-нибудь другую шубу? А может, не шубу, а пальто? А может, вообще мебельный гарнитур? В общем, внутренний критик, ошеломленный величиной собранной суммы денег, засуетился, забеспокоился и заставил вас тоже переживать, мучиться мыслями о том, насколько эффективно вы потратите с таким трудом накопленные деньги.

Предлагаю простой способ выхода из этой ситуации. Возьмите несколько монет. Обозначьте в уме все возможные варианты вложения денег: шуба, пальто, мебель, туристическая поездка, отдать в долг соседу. Твердо и бесповоротно решите для себя (это очень важно, чтобы в данный момент ваше решение было именно твердым и бесповоротным): на какой вариант выпадет наибольшее число орлов — тот я и выберу. То есть в этот момент вы должны жестко поставить свое поведение в зависимость от поведения монетки.

Затем начинайте бросать монетки по каждому варианту отдельно. Допустим, выяснилось, что наибольшее количество орлов выпало на вариант «отдать в долг соседу». Вот и отлично. Выбор сделан за вас. Но что это? Ваш разум возмущается, он буквально кипит и протестует против такого варианта? Он подсказывает вам, что сосед пропьет эти деньги, долг вам не вернет, а вы опять останетесь без шубы?

Все правильно! Именно этого мы и добивались! Можете кричать «ура»: вам удалось обмануть ваш разум, активизировать его и спровоцировать его глубинную часть выйти на поверхность! Разум взбунтовался против абсурдного варианта, подсказанного монеткой, это заставило его активизироваться, заработать, выйти на поверхность и восстановить истинные цели, отбросив в сторону всю мишуру, всю «лапшу», навешанную вам на уши внутренним критиком. Теперь вы можете как следует потрясти головой, сказать: «Надо же, какой бред лез мне в голову». И спокойно идти покупать желанную шубу.

Тот же метод можно применять по любому поводу в вашей жизни, когда внутренний критик пытается запутать вас и сбить с толку. Бросьте монетку — ваш глубинный разум насторожится и, будьте уверены, заявит громкий протест против любого неистинного варианта вашего поведения. В голове тут же прояснится, и вы четко осознаете, что именно вам надо выбрать. Метод хорошо работает и в значимых, и в незначимых, и в ключевых областях жизни.

ПРАВИЛА ПОВЕДЕНИЯ НА ЗАКРЫТОМ ПУТИ

Вы уже знаете, как распознавать, открытый перед вами путь или закрытый. Используя тест-системы, вы можете определить, как именно распределится удача и неудача по незначимым, значимым и ключевым областям. Удача, выпадающая на значимые области при распределении неудачи между незначимыми и ключевыми областями, как раз и будет означать, что перед вами коварный и опасный закрытый путь. Коварен и опасен он потому, что постоянно манит и обнадеживает моментами удачи в значимых областях. Это проблескивающая то тут, то там удача заставляет человека выкладываться вновь и вновь, делать ставку все выше и выше, отдавать все силы, но коварный закрытый путь предает его в самый критический и ответственный момент, когда все рушится, казалось бы, за мгновение до триумфа.

Но не нужно отчаиваться, даже если вы столкнулись с закрытым путем. Как вы уже поняли, закрытые пути бывают разные — с разной степенью закрытости. Степень закрытости вы можете определить опять же при помощи тест-системы, обнаружив, есть ли у вас хотя бы минимальные шансы на удачу в ключевых областях. Если такие шансы есть — можно попробовать переломить обстоятельства и превратить закрытый путь в открытый.

Как вы уже поняли из всего сказанного в этой книге о закрытых путях, закрытый путь закрыт вовсе не потому, что он такой плохой и закрытый сам по себе. Нет, он закрыт именно для вас, и связано это не с качествами самого пути, а с вашими личными качествами. Путь через турникет в аэропорту вовсе не закрыт для всех, но он будет закрыт для вас, если у вас в кармане молоток.

Так вот, в зависимости от ваших качеств, свойств и особенностей есть закрытые пути, которые не могут превратиться в открытые, а есть закрытые пути, которые при изменении некоторых условий могут стать открытыми. Если вы при помощи тест-системы обнаруживаете, что ключевые области дают вам стопроцентную вероятность неудачи — скорее всего, такой закрытый путь невозможно превратить в открытый. Но если есть хотя бы десятипроцентный шанс на удачу в ключевых областях — можно подумать о возможности превращения этого пути в открытый.

К примеру, чтобы путь через турникет из закрытого превратился в открытый, надо просто вынуть из кармана молоток. Изменить свои качества таким образом вполне в ваших силах. А вот если для того, чтобы путь в фотомодели стал из закрытого открытым, вам придется в два раза увеличить свой рост и в три раза уменьшить талию — вот здесь, боюсь, что шансов превратить этот путь в открытый нет. Придется отказаться от него раз и навсегда.

Но чаще всего закрытый путь — это не тот путь, для которого не приспособлены никакие из ваших качеств. Путь, для которого не приспособлено ни одно из наших качеств, — это уже скорее черный путь, чем закрытый. На черный путь, как мы уже сказали, нормальные люди не вступают, понимая, что это бессмысленно. А вот на закрытый вступают, потому что некоторые данные для движения по этому пути у них все же есть.

Девушка просто так не захочет стать певицей — значит, у нее, по крайней мере, есть слух и какой-то голосок. И если путь для нее все же закрыт — значит, надо смотреть, какие у нее есть иные качества, мешающие продвижению по пути. Это может быть и чрезмерная зависимость от выбранного пути — с этим препятствием легко справиться при помощи методик, которые будут здесь приведены. Это может быть и гораздо больший талант в какой-то другой области. А вот здесь уже лучше не упорствовать в продвижении по закрытому пути, а пойти по тому пути, где реализуется более серьезный талант.

Вспомните пример с ячейками-сейфами информационного поля, которые каждый открывает своим ключом. Всегда лучше найти свою ячейку, к которой ваш ключ подойдет без проблем, чем уродовать и переделывать свой ключ, подгоняя его под чужую, уже занятую кем-то ячейку, где вы не будете единственным, уникальным и неповторимым, а станете одним из многих. В своей же области вы осуществитесь так ярко и мощно, как никто.

Если вы все же обнаружили, что у вас есть необходимые качества для продвижения в этом, и только в этом направлении, которое оказалось для вас закрытым путем, и если в ваших силах изменить что-то на этом пути — значит, вам помогут правила продвижения по закрытому пути, с которыми вы вскоре познакомитесь.

Когда вы научитесь превращать закрытые пути в открытые, вы обнаружите, что у вас практически не осталось проблем в жизни. Кроме того, в будущем вы сможете легко снизить для себя саму вероятность появления в вашей жизни закрытых путей.

То есть практически во всех случаях вашей жизни вы научитесь использовать Мировые Течения себе во благо. Окружающим будет казаться, что вам всегда благоприятствуют все обстоятельства, чем бы вы ни занимались и какие бы цели перед собой ни ставили. На самом деле обстоятельства здесь, в общем-то, и ни при чем — это будет целиком вашей собственной заслугой, ведь, зная законы Мировых Течений, вы выйдете на совершенно новый уровень собственной эффективности, вы сможете практически всегда следовать по пути успеха, благополучия и счастья.

Но сначала мы должны как следует разобраться в том, как вести себя на закрытом пути, чтобы не дать ему принести вам слишком большой вред. В связи с этим еще одна небольшая оговорка.

Много раз в своей жизни вы сталкивались с неудачами. Но далеко не всегда причина была в закрытости пути. К примеру, к событиям личного плана концепцию открытых и закрытых путей надо применять с большой осторожностью. Многие люди начинают поначалу рассуждать примерно так: «У меня не сложилась личная жизнь — значит, Мировые Течения этому препятствуют, следовательно, это для меня закрытый путь!» Это ошибочный ход рассуждений. Мировые Течения не могут препятствовать личному счастью! Прошу усвоить это как следует. Точно так же не может быть закрытых путей в решении семейных проблем — к примеру, в налаживании отношений с детьми. Личное счастье, нормальные отношения с детьми — это то, на что человека благословляет сама Природа. Это естественные, закономерные природные процессы, которым ничто не препятствует. А потому при возникновении проблем такого рода ищите причину не в Мировых Течениях, не в закрытости пути, а в себе и только в себе. А затем применяйте методики второй и третьей ступени. Они помогут вам эффективно двигаться по этим путям, которые ни в коей мере не могут быть закрытыми.

Методики второй и третьей ступени позволят вам пойти по увлекательному пути борьбы за свое личное счастье. Только это не будет борьба в обычном человеческом понимании: люди часто думают, что бороться — это значит вцепиться зубами и ногами в объект своего желания и добиваться благосклонности этого объекта любыми путями, вплоть до физического насилия и подавления воли методами приворотов и прочими колдовскими средствами. Нет, такая «борьба» — путь тупиковый. Истинная борьба за личное счастье — это приведение себя к внутренней самодисциплине, это воспитание своего сознания и подсознания, это устранение хаоса из разума и Души, это способность запрограммировать для себя нужные события и вывести себя на нужную дорогу, к нужному человеку. Вот такая борьба — это скорее не борьба, а увлекательнейший творческий созидательный процесс, когда вы творите и созидаете самое великолепное произведение искусства — себя и свою жизнь. Вот такая борьба приносит нам высшее наслаждение, и полученное в результате личное счастье тем полнее и мощнее, чем больше усилий вложено в его достижение.

Но вернемся к закрытым путям. Как вы уже поняли, они не имеют отношения к сфере личной жизни. Где же тогда они могут нам встречаться?

Закрытые пути напрямую связаны с теми сферами жизни, где человек пытается что-то создать в этом мире, чего-то добиться. Это сферы творчества, бизнеса, работы, изобретательства, карьеры, благоустройства быта, финансового обеспечения семьи, поездок и переездов, приобретения имущества. Вот в этих сферах, если мы столкнулись с невозможностью сделать что-то так, как нам хочется, можно заподозрить наличие закрытого пути.

На закрытом пути ситуация складывается так, что все обстоятельства работают против нас. Происходит это, как вы уже поняли, от того, что наши качества, свойства создают внутри нашего сознания такие поля значений интересующих нас событий, которые не совпадают со значениями, определенными Мировыми Течениями. Если снова вернуться к порядком уже надоевшему нам примеру с молотком и турникетом, то, условно говоря, человек с молотком в кармане несет в своем сознании следующее ложное значение: «Молоток в кармане помогает пройти через турникет». Тогда как объективное значение молотка в кармане прямо противоположное: «Молоток в кармане не позволяет пройти через турникет».

Как правило, закрытый путь возникает постепенно, когда человек обрастает своим пониманием действительности, а мир медленно изменяется, и сфера значений, выработанная человеком, перестает совпадать с действительностью. То есть, упрощенно говоря, если человек привык со всех ног бросаться к одному и тому же окошечку кассы и уже не замечает, что мир вокруг него потихоньку меняется... Окошечко миллиметр за миллиметром сдвигается вбок — и вот настает момент, когда этот человек уже штурмует лбом глухую стену! Прежний маршрут к кассе (тот самый багаж значений, который уже имеется у человека) мешает результату! Если бы на месте этого человека был новичок, то он легко нашел бы дорогу.

Вот такие ложные значения в нашем сознании и мешают нам вписаться в Мировые Течения, где заложены истинные значения тех же фактов и событий.

Когда мы двигаемся по закрытому пути, руководствуясь нашими ложными значениями, сопротивление обстоятельств на нашем пути с каждым нашим шагом все возрастает и возрастает. Это похоже на то, как если бы мы все заводили и заводили тугую пружину, невзирая на то, что она уже взведена до упора и заводиться больше не хочет. Но мы упорствуем. В итоге пружина лопается и, бесконтрольно раскручиваясь, наносит значительные повреждения окружающему пространству и прежде всего нам самим.

И мы сами тому виной — ведь если бы поля значений в нашем сознании были иными, то и путь не был бы закрыт. И не надо было бы закручивать сопротивляющуюся пружину — она сама бы плавно и мягко раскручивалась и несла нас туда, куда нам надо.

Для большей ясности — вот пример. Кандидат в депутаты борется за депутатское кресло. В его сознании заложено ложное поле значений: «Ругая власти, получишь наибольшее число голосов избирателей». Это просто не соответствует тенденциям его избирательного округа.

Если бы его внутренние поля значений соответствовали объективным полям значений и он следовал бы им, оказывая реальную помощь избирателям, — пружина этого действия, плавно раскручиваясь, привела бы его в депутатское кресло. Но он действует в соответствии со своей внутренней ложной установкой и ругает власти на каждом углу, не замечая, что сопротивление среды усиливается, что внутреннее недовольство избирателей растет, но он продолжает силой скручивать эту сопротивляющуюся пружину, и она в конце концов взрывается, отбрасывая его очень далеко от манящего депутатского кресла.

Как превратить закрытый путь в открытый? Прежде всего надо учесть, что вы уже какое-то время двигались по этому закрытому пути, не зная, что он закрытый, а потому пружина обстоятельств уже основательно закручена. Значит, сначала надо позаботиться о том, чтобы ослабить напряжение этой пружины и не позволить ей лопнуть, или, если дело зашло уже далеко, по крайней мере, включить страховку, которая не позволит пружине, если она лопнет, нанести критических повреждений. Проведя эти предварительные меры предосторожности, можно приступать уже собственно к превращению закрытого пути в открытый.

В связи с этим правила поведения на закрытом пути и превращения этого пути в открытый подразделяются на три этапа. Первый этап — удержание событий от выхода из-под контроля. Второй этап — страховка на случай провала. И третий, основной этап — изменение своих субъективных полей значений, из-за которых, собственно, путь и стал закрытым.

Для того чтобы последовательно двигаться по этому пути, надо соблюдать шесть правил.

Правило номер один: корректность

Очень часто люди обращаются с окружающим миром довольно неаккуратно. И это вполне сходит с рук на открытом пути. Ведь там все легко и просто: заключили договор о ремонте квартиры — в срок пришла бригада, которая быстро и качественно в лучшем виде все отремонтировала. Все в порядке, все довольны. А как может быть иначе — ведь это, казалось бы, само собой разумеется!

Но на закрытом пути все совсем не так. На закрытом пути нас подкарауливают сложности и неприятности там, где их совсем не ждешь и где они, в общем-то, не должны возникать. Именно на закрытых путях действует знаменитый закон Мерфи, гласящий: «Если какая-нибудь неприятность может случиться, она случается».

Поэтому, если уж вы оказались на закрытом пути и хотите с честью выпутаться из этой ситуации, закон для вас один: бдительность, бдительность и еще раз бдительность. Нельзя допускать ни в чем ни малейшего риска, ни малейшей неточности и неаккуратности. Учтите, на закрытом пути для вас ничего не сойдет с рук так, как сходило на открытых путях!

На закрытом пути, если вы выполнили работу под устное обещание, что деньги вам заплатят потом, — значит, денег вам не заплатят. Если, напротив, вы заплатили кому-то за какую-то работу авансом — работу для вас не сделают. Поэтому на закрытом пути не верьте на слово никому и ничему! Требуйте заключения договоров, бумаг с подписями и печатями и прочих гарантий. Хотя на закрытом пути и это не всегда спасает. Но постарайтесь по крайней мере сделать все для вашего спасения, а потому продумайте каждую мелочь. Кроме того, все этапы, все моменты закрытого пути вы должны контролировать лично. Допустим, важную для вас бумагу не передавайте должностному лицу через секретаря — найдите возможность вручить ее лично, а еще лучше добиться, чтобы и подписали ее при вас.

Вывод: на закрытом пути нельзя рассчитывать на везение, на благоприятное стечение обстоятельств, на случайности. Поэтому все должно быть четко и определенно. Требуйте гарантий от каждого человека, от которого хоть что-то зависит. Назначаете встречу, настаивайте на получении расписки, что человек явится на встречу точно в срок и точно в указанное место. Все денежные дела оформляйте строго документально. Не верьте никому на слово — требуйте документальных подтверждений. Добивайтесь также, чтобы на все ваши вопросы вам давали четкие и определенные ответы. Когда вам говорят: «Возможно, завтра я ваш вопрос решу» — не удовлетворяйтесь таким ответом. Уточняйте: «Что значит „возможно"? Я хочу знать точно, решится мой вопрос завтра или нет — и желательно, чтобы вы мне дали письменную гарантию этого. А не дадите письменную гарантию — тогда решайте вопрос сегодня, прямо сейчас, и я не уйду из вашего кабинета, пока вы это не сделаете». В общем, вам придется на время стать жутким буквоедом, занудой и даже где-то сутягой. Вам это не свойственно? Что поделать, придется пока смириться с этой ролью, раз уж вас угораздило оказаться на закрытом пути.

Вы можете сказать: не лучше ли отказаться от этого пути сразу, чем так мучиться? Если можете отказаться — откажитесь. Но иногда обстоятельства складываются так, что вы уже ввязались в закрытый путь и уже поняли, что сделали это напрасно, а назад дороги нет, приходится как-то доводить начатое до ума.

Один мой приятель, к примеру, оставшись безработным, решил, вместо того чтобы искать работу, заняться ремонтом в квартире. Он подумал, что теперь-то, на досуге, он сделает все наилучшим образом. Но не тут-то было, все пошло кувырком. Он заплатил бригаде маляров — и больше не увидел ни денег, ни маляров. Он рассчитался с мастером по оклейке обоев — мастер приклеил их так, что на следующий день все они отвалились, и деньги, естественно, никто не вернул. Кроме того, в доме начали случаться и другие неприятности — то канализация засорилась, то телефон сломался, то бытовые приборы начали из строя выходить.

Моего приятеля все это довело до полуистерического состояния — и он, конечно же, понял, что путь ремонта квартиры в данный момент закрыт, а открыт путь поиска работы, и пока он не определится с магистральным направлением своей жизни, никакие ремонты клеиться не будут. Понять-то он это понял, но в доме уже царил полный кавардак, и надо было кое-как приводить все в порядок. Вот и пришлось воспользоваться первым правилом следования по закрытому пути: найти надежную бригаду, официально заключить контракт, потратить, конечно, большую сумму, чем он рассчитывал. Но что поделать, если уж вы идете по закрытому пути, будьте готовы к жертвам. В итоге он выпутался из этой ситуации благодаря тому, что действовал аккуратно, четко, на каждом шагу требовал расписок и никому не доверял просто так, без документов. А когда выпутался, на редкость легко нашел новую интересную работу.

Правило номер два: ограничение масштабов

Итак, как вы уже поняли, на закрытом пути нельзя допускать ни малейших просчетов, ошибок, ни минимального риска. Тем более нельзя для решения проблем закрытого пути ставить на карту то, что вы ни в коем случае не можете позволить себе потерять.

К примеру, закрытый путь довел вашу фирму до полного краха, и вы, желая спасти дело, решаете заложить квартиру. Этого делать ни в коем случае нельзя! Закрытый путь прожорлив, он втянет в себя и вашу квартиру — и вы непременно ее потеряете! Это практически неизбежно. А краха фирмы вам все равно не удастся избежать таким способом.

Почему так происходит? Потому что для закрытого пути свойственны ложные поля значений, и все, что вы втягиваете на закрытый путь, тоже втягивается в поле ложных значений. К примеру, квартира нужна вам для того, чтобы жить в ней, иметь крышу над головой, создавать для вас тепло и уют. Это истинное значение вашей квартиры, значение, лежащее в русле Мировых Течений. Когда вы закладываете квартиру для спасения фирмы, вы придаете ей ложное значение, а именно: «Квартира нужна для спасения фирмы». Такое ложное значение тут же вступает в противоречие с истинным значением, совпадающим с тенденциями Мировых Течений. И чем больше вы упорствуете в использовании квартиры не по назначению, тем сильнее закручивается пружина, которая в конце концов, лопнув, унесет от вас и квартиру, и фирму, и деньги.

Точно так же для спасения ситуации на закрытом пути нельзя использовать деньги, взятые в долг. Отдать вы их не сможете, а риск провала от этого лишь повысится.

Отсюда вытекает вывод: нельзя втягивать любые средства, имеющие отношение к открытому пути (будь то деньги, квартира или другой человек), для спасения дела на закрытом пути. Помните, что нельзя отнимать сено от дойной коровы, чтобы накормить паршивую овцу! Ваши открытые пути — ваша дойная корова. И если вы будете отнимать у нее кусок, это приведет только к тому, что и открытый путь закроется — корова сдохнет. Если вы втягиваете в закрытые пути средства открытых путей, вы тем самым меняете их значения на ложные, а значит, привлекаете неприятности и на те пути, что были раньше открытыми!

Например, вы работаете в каком-то учреждении и при этом еще занимаетесь коммерцией. Работа в учреждении — открытый путь, и там у вас все нормально. Но вот оказывается, что ваши занятия коммерцией — закрытый путь, и там начинаются неприятности. Вы, скажем, задолжали большую сумму. А на вашей основной работе, допустим, вы имеете доступ к деньгам, которые выплачиваются коллективу в качестве зарплаты. Вы решаете временно позаимствовать часть этих денег, чтобы вернуть долг. Надо ли говорить, чем все это закончится? Естественно, вы не сможете вернуть в срок казенные деньги — и хорошо, если руководство вас поймет и покроет. А если ваше начальство очень сурово и принципиально — тут и до уголовного дела недалеко.

Ведь, позаимствовав деньги у открытого пути и переведя их на закрытый, вы тут же меняете их истинное значение на ложное: из денег на зарплату вы превращаете их в деньги на погашение своего личного долга. Мировыми Течениями такой ход событий не предусмотрен — естественно, вы упретесь в стену, и реализовать ваши планы вам не удастся.

Все это говорит о том, что, находясь на закрытом пути, надо сузить до минимума масштабы своей деятельности, то есть использовать лишь средства, встречающиеся на вашем закрытом пути, не посягая на то, чтобы распространить свою активность на свои или чужие открытые пути.

Кстати, по той же причине откажитесь от помощи средствами своих открытых путей человеку, если видите, что он на закрытом пути. К примеру, вы работаете в престижной организации. Для вас это открытый путь. Ваш лучший друг хочет работать в той же организации. Но вы видите, что для него это закрытый путь. Тем не менее он просит, чтобы вы замолвили за него словечко перед начальством. То есть он фактически провоцирует вас, используя открытость вашего пути, дающую вам прямой доступ в кабинет начальника, куда другим доступ закрыт, на попытку «взломать» шлагбаум чужого закрытого пути. Знайте: этого делать нельзя. Ваш открытый путь предполагает только одно истинное значение вашего посещения кабинета начальника: вы можете это делать в интересах работы или в своих личных интересах. Но никак не в интересах других людей, стоящих на закрытых путях. Придя в кабинет начальника с ложной целью, вы тут же навлечете на себя неприятности, и возможно даже, что ваш открытый путь закроется.

Не убивайте свою удачу своими же руками! Но не убивайте и удачу другого человека, принуждая его помогать вам средствами его открытого пути, если вы сами на закрытом.

Вывод: на закрытом пути надо соблюдать крайнюю осторожность. Если на каком-то этапе ваш закрытый путь стал требовать от вас ставок, превышающих пределы того, что вы можете позволить себе потерять, — лучше отказаться вообще от этого пути, пока не поздно, или сделать паузу, взять себе передышку, наконец, на время куда-то скрыться, исчезнуть. Помните: нельзя привязывать события открытого пути к событиям закрытого пути, если не хотите закрыть и открытый путь.

Правило номер три: страховка

Как вы уже знаете, сделать наш путь закрытым может такая простая вещь, как слишком большое значение, которое мы начинаем придавать достижению наших целей и исполнению желаний. Все знают, как это бывает: начинаешь какое-то дело вроде бы играючи, и все идет легко и просто. Но чем дальше, чем ближе мы к успеху, тем больше мы жаждем этого успеха, тем сильнее «зацикливаемся» на положительном результате, и в итоге оказывается, что этот результат для нас теперь жизненно важен, просто жить мы не сможем, если не достигнем желаемого. «Зацикливаясь», теряем свободу, легкость, состояние игры, начинаем слишком серьезно относиться к себе и к тому, что делаем, придаем своей деятельности неоправданную важность — и вот тут-то путь и закрывается, и мы все теряем.

Значит, чтобы застраховать себя от провала на закрытом пути, надо попытаться снизить для себя значение той цели и результата, которых мы стремимся достичь. Это можно сделать, заранее отказавшись от всей полноты успеха — принеся своеобразную жертву.

Например, вы зарабатываете деньги на закрытом пути, при этом понимая, что путь закрытый и что вероятность потерять деньги для вас гораздо выше, чем заработать. Дело может принести выгоду — а может принести убытки. Но отказаться от этой затеи уже не можете. Что делать, как обезопасить себя? Во-первых, по возможности заранее мысленно откажитесь от идеи заработать. Убедите себя не надеяться на выгоду! Пусть это будет даже некоторый самообман, но попробуйте вести себя так, как будто вы и не рассчитываете на эти деньги. Таким образом вы снизите для себя значимость вашей цели, а став практически равной нулю, эта значимость больше не будет возвышаться до непомерных величин и вставать на пути Мировых Течений.

Во-вторых, заранее приготовьте сумму денег, которую вы будете должны в случае провала, если вместо выгоды вы понесете убытки. Пусть эти деньги спокойненько лежат где-нибудь на полочке — и вы будете знать, что эти деньги, в сущности, вам уже не принадлежат, вы уже от них отказались. Это будет ваша своеобразная жертва — этой жертвой, своим добровольным отказом от денег вы снижаете значимость денег для себя, а значит, снижаете свою зависимость от денежного успеха предприятия. Это существенно снижает вероятность провала дела!

В разных вариантах подобные меры по снижению значимости ваших целей можно применять и в других сферах. Например, вы хотите подготовить на работе новый проект — так подготовьте два проекта, один пусть лежит в столе, а второй представьте начальству. Провал будет не так страшен, потому что есть запасной вариант. Вы продаете квартиру — застрахуйте сделку, тогда вы не будете так зависеть от успеха мероприятия, не будете бояться, что вас обманут, то есть не будете придавать этому делу непомерно завышенное значение, никак не соответствующее его истинному (с точки зрения Мировых Течений) значению.

Страховка — это, в сущности, и есть то, что снижает для вас значение негативных последствий любых событий. А значит, снижает значение и самих событий, что позволяет этим событиям легче проскользнуть мимо Мировых Течений, оставшись незамеченными. Помните: масштаб событиям придаем мы сами, завышая или занижая их значение! Сознательно снижая масштаб события, мы предотвращаем его разрастание до такого уровня, где оно уже становится препятствием на пути Мировых Течений. Значит, снижая масштаб события, мы легче его осуществляем — ведь оно в таком уменьшенном виде никому не мешает.

Вывод: на закрытом пути мы всегда должны предусматривать наихудший вариант развития событий, заранее смиряться с ним и быть к нему полностью готовым, таким образом снимая свою зависимость от положительного результата и значение для себя этого результата.

Правило номер четыре: дозирование усилий

Это правило тоже связано со значимостью для нас событий, принадлежащих закрытому пути. Как вы уже поняли, чем выше эта значимость, тем сильнее противодействие среды и тем выше вероятность провала. Соответственно, чем больше времени своей жизни вы посвящаете действиям на закрытом пути, тем возрастает для вас значимость этих действий и тем больше вероятность провала.

Отсюда следует правило, согласно которому ни в коем случае нельзя тратить все свои усилия, всю свою активность, все свое время на преодоление обстоятельств закрытого пути. В этом случает значимость событий разрастается до предела, и, соответственно, противодействие Мировых Течений возрастает.

Поэтому очень важно уметь в критический момент махнуть на все рукой, плюнуть, бросить, сказать: «Пропади оно все пропадом!» — и заняться чем-то другим. Таким образом вы резко снижаете значимость событий, они уходят из интерференции с Мировыми Течениями, и через некоторое время ситуация может просто разрешиться сама собой. Если вы как следует покопаетесь в своей памяти, наверняка вспомните несколько случаев, когда примерно так все и происходило. Вы несколько лет бьетесь над какой-то задачей, но в голову ничего не приходит, и как только вы отказываетесь найти решение, это самое решение само всплывает в голове. Вы годами ждете, что кто-то вам сделает желанный подарок, но ваши ожидания напрасны, и, только когда надежда уже потеряна — подарок вам тут же приносят. Вы долго мечтаете получить повышение по службе, и когда, отчаявшись его получить, смиряетесь со своей участью и думаете: «Плевать! Буду секретаршей» — как вам тут же предлагают должность заведующей канцелярией.

Один из обучавшихся системе, в прошлом начальник цеха, рассказывал историю о том, как он бился над выполнением плана, еще не зная, что эта работа для него — закрытый путь. Он прилагал массу усилий, но то детали вовремя не приходили, то его сотрудники неверно готовили документы — в общем, неприятности сыпались одна за другой. Кое-как разрешив часть вопросов, он вдруг понял, что больше не может решать проблемы своего цеха — и неожиданно для себя самого взял отпуск среди зимы, оставив цех на заместителя. Позже он говорил, что сам не понял, как он мог это сделать и почему он все-таки это сделал — ведь, по сути, он оставил коллектив в критический момент, хотя всегда был очень ответственным работником.

В его отсутствие цех неожиданно встал из-за недопоставок сырья, что означало катастрофу для всего завода. Заместитель получил инфаркт. А наш начальник понял, что не возьми он вовремя отпуск, это он лежал бы сейчас в реанимации кардиологического отделения городской больницы.

Интуиция заставила тогда человека поступить вопреки собственным принципам, проигнорировать чувство ответственности, в итоге поплатиться карьерой (с завода он вскоре ушел, что, впрочем, как потом выяснилось, было правильно), но спасти здоровье, а кто знает, может, и жизнь. Уехав в отпуск, он просто резко снизил для себя значимость этого цеха, завода, плана и так далее. И правильно сделал. Если бы все люди умели хотя бы время от времени так поступать — больше было бы у нас сейчас долгожителей, больше здоровых полноценных людей и меньше инвалидов и немощных.

Итак, цените время, не тратьте его без остатка на достижение целей на закрытом пути — оставьте что-нибудь и для себя. Кроме того, время нам еще потребуется для работы по превращению закрытых путей в открытые. А потому тем более цените время — этот единственный невосполнимый ресурс человека! Не случайно говорят, что время — деньги, ведь за все радости жизни мы расплачиваемся монетой времени. Так что экономьте время-деньги! Не тратьте его на ненужные вам цели. Не расходуйте понапрасну на закрытых путях.

Вывод: действия на закрытом пути должны занимать не более половины всего нашего времени, посвященного активным действиям. Остальное время лучше заниматься делами, относящимися к открытому пути. И, как вы уже знаете, при этом не смешивайте события этих двух путей. Как говорится, мухи пусть будут отдельно, а котлеты отдельно.

Правило номер пять: мыслить этапами

Любой путь, достижение любой цели обычно разбивается на несколько этапов. И это может принести нам немало преимуществ. И это опять же связано с возможностью снижения значения всей цели. Допустим, достижение цели для нас непомерно важно и значимо. Настолько значимо, что достижение ее становится невозможным. Прекрасно: не будем замахиваться сразу на всю цель. Будем скромнее, замахнемся сначала лишь на один ее этап — совсем небольшой, совсем незначимый.

Разбив достижение цели на десять этапов, мы тем самым в десять раз снижаем значимость всей работы по ее достижению. А это, соответственно, во столько же раз снижает вероятность неудачи. Мы делаем ставку не на всю цель сразу, а только на один этап. Если этот этап не осуществится — ничего страшного не произойдет, мы просто запустим другой вариант этого этапа. И постепенно шаг за шагом придем к цели, которая изначально казалась неосуществимой.

Представьте себе, что вы не умеете плавать, а вас подводят к огромному пятидесятиметровому бассейну глубиной в четыре метра и говорят: ныряй. Естественно, вы впадаете в панику, шарахаетесь подальше от бассейна и убеждаетесь, что научиться плавать для вас это нереально. Цель недостижима, и в этом, казалось бы, нет сомнений.

Но вот вас подводят к маленькому детскому бассейну-лягушатнику, где воды вам от силы по пояс, и говорят: просто зайди туда. Не надо нырять, не надо плавать — зайди и все. А вот это уже вам вполне по силам. Потом вам говорят: а теперь попробуй удержаться на поверхности воды — здесь же мелко, ты не утонешь. Получилось? Теперь можешь попро-

бовать перейти в двадцатипятиметровый бассейн — там поглубже, но дно все же можно достать. Не страшно? А теперь
будем учиться плавать по-настоящему. Научившись плавать
в не самом большом бассейне, вы уже не побоитесь войти и
в большой глубокий бассейн, который вас поначалу так ужа-
сал и казался недостижимой целью.

Так что разбейте достижение цели на закрытом пути на
этапы — и цель, казавшаяся недостижимой, будет достигнута. Но при этом постарайтесь, чтобы каждый этап был са-
модостаточен, то есть его результат уже сам по себе должен
принести вам выгоду, а не убытки, не ущерб. В случае с бас-
сейном, даже если вы дальше лягушатника не продвинетесь,
уже в выполнении этого этапа есть плюс: вы перестали бояться воды, то есть приобрели новое качество, а не потеряли то, что уже имели.

В случае с ремонтом квартиры, который затеял мой приятель на закрытом пути, он начал выходить из этой ситуации так: сначала отказался от идеи ремонта квартиры вообще, решив, что ограничится починкой сломавшегося теле-
фона. То есть он поставил для себя легко достижимую цель,
отказавшись на время от цели глобальной. Потому что, взглянув в то время на состояние его квартиры, можно было просто опустить руки, впасть в апатию и прийти к выводу, что
здесь никогда не навести порядок. Он же закрыл глаза на состояние квартиры в целом и занялся достижением мелких и,
казалось бы, незначительных целей. И так, поэтапно, не за-
махиваясь сразу на достижение масштабного результата, без
нервных затрат тихо и мирно завершил ремонт.

При этом он так расположил по этапам порядок действий, чтобы каждый этап не зависел от другого и сам по
себе приносил результат. К примеру, ему предлагали в один
день и побелить потолки, и поклеить обои. Он же, верно
рассудив, что закрытый путь несет всякие неожиданности,
отказался от этой затеи. Ведь обои нельзя клеить, пока не
побелен потолок — значит, надо, чтобы маляры пришли
раньше, чтобы оклейщики обоев дожидались, когда будет
закончена эта работа, или пришли позже... Нет, это слишком сложно для нашего сервиса, ясно, что кто-нибудь да
не будет точным и вся работа может сорваться. Сначала
придут оклейщики, начнут ждать маляров, не дождутся и

уйдут, потом придут маляры, спросят, где оклейщики, скажут, что без них начинать не будут, или еще что-нибудь придумают. Это слишком рискованно — рассудил мой приятель, и не стал замахиваться сразу на многое, решив в отдельный день побелить потолки, а в отдельный — поклеить обои. Да, времени ушло больше, да и денег тоже, но зато каждый этап принес результат, а не разочарование.

Очень хорошо к тому же будет, если вы позаботитесь о страховке не только всего результата в целом, но и каждого этапа в отдельности. То есть на случай невыполнения этапа заранее подготовьте запасной вариант. Вы сегодня не можете идти в бассейн — подготовьте в качестве запасного варианта ванну, где вы будете преодолевать свою водобоязнь. Мой приятель, ремонтировавший квартиру, обзвонил предварительно всех своих знакомых, которые в случае неявки бригады маляров или оклейщиков были готовы явиться по первому зову и помочь с ремонтом.

Вывод: закрытый путь нужно разбить на несколько промежуточных этапов, и каждый этап должен приносить позитивный, полезный сам по себе результат. Кроме того, для каждого этапа должна быть предусмотрена отдельная страховка.

Правило номер шесть: возможность отступления

На закрытом пути вам придется научиться быть внутренне крайне гибким, подвижным и мобильным. Ведь в любой момент может случиться так, что вам придется неожиданно свернуть деятельность и отойти на заранее подготовленные позиции или полностью перестроить всю деятельность на совершенно новых принципах. Человек «упертый», такой, для которого принцип превыше всего, просто провалится на закрытом пути, погубит и себя, и дело. Так что гибкость и еще раз гибкость! Это не только способность отказаться в любой момент от своих целей и идей, но и способность перестроиться на другие цели и другие способы их достижения.

Для этого прежде всего нужно подготовить заранее пути отступления — запасные пути. Это, в сущности, тоже один из вариантов страховки, являющейся третьим правилом, но там страховка предусматривала другой вариант того же самого дела — запасные же пути означают совсем другое дело, которым вы сможете заняться в случае провала.

Очень часто люди выстраивают себе запасные пути чисто инстинктивно, когда чувствуют, что дело, которым они занимаются, закрывается (вернее, закрывается их путь в этом деле). Именно так поступают бизнесмены, регистрируя «на всякий случай» несколько фирм — одну на себя, одну на жену, одну на сына. Провал в одном направлении позволяет относительно безболезненно перекинуться на другое.

Но нас, конечно, больше интересуют случаи, когда люди, вооруженные знанием системы ДЭИР, осознанно применяют ее на практике — в частности, осознанно создают себе запасные пути, оказавшись перед тем фактом, что дело, которым они занимаются, на поверку является закрытым путем.

К примеру, Алексей С. успешно занимался научной работой. Путь изначально был открытым. Но пришел момент, когда даже без применения тест-системы стало ясно: удача начала концентрироваться в значимых областях, а из ключевых уходить. Так, его исследования хорошо финансировались в процессе работы, удавалось достигать желаемых результатов, и все, казалось бы, шло хорошо, но когда работа была доведена до конца, оказывалось, что заказчикам она больше не нужна. Денег за конечный результат никто не платил, и сама работа мертвым грузом ложилась под сукно.

При этом нашего слушателя с работы никто не выгонял и деньги ему платили, но денег этих едва хватало на то, чтобы свести концы с концами, да и морального удовлетворения такая работа приносила все меньше и меньше. Ясно было, что путь закрывался неотвратимо. Не будем сейчас вдаваться в подробности, почему именно это происходило. Но ясно было, что этот закрытый путь превратить в открытый уже не удастся.

Пришлось искать запасные варианты. С помощью тест-системы человек выяснил, что его ждет реальная удача в деле сотрудничества с неким научно-популярным журналом. Он начал писать научно-популярные статьи, не уходя с основной работы. Это давало и какие-то деньги, и возможность реализовать свои творческие способности. Его статьи заметили, и вскоре он был приглашен на региональное телевидение в качестве ведущего научно-популярной передачи. Примерно в течение года он вел такую «двойную», и даже «тройную» жизнь, работая одновременно и в институте, и в журнале, и на телевидении. Между тем в институте дела пошли совсем плохо. Когда стало ясно, что ждать там уже нечего, наш ученик легко и безболезненно перешел на новую стезю (на которой уже, впрочем, давно находился), и сейчас он становится в своем городе довольно известным популяризатором науки. Ясно, конечно, что для него это не главное дело жизни, не магистральное направление, а те самые запасные пути, которые очень вовремя его спасли. А сейчас он постепенно переходит и к самому основному своему открытому пути — к магистральному направлению самоосуществления в жизни, а именно к новым направлениям в науке, связанным с энергоинформационными взаимодействиями. А его институт, кстати, вскоре после его ухода окончательно развалился, — и можно сказать, что его фактически уже не существует.

Вывод: если мы оказались на закрытом пути, то надо, не откладывая ни минуты, готовить запасные позиции, что-

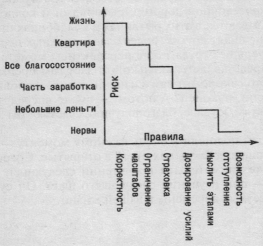

Рис. 25.
Снижение риска на закрытых путях. Пример приблизительный, но в одном верный: нервы, увы, тратить приходится везде

бы не оказаться в кризисе, если закрытый путь не удастся пройти.

Итак, мы перечислили шесть правил поведения на закрытом пути — шесть правил, позволяющих с наименьшими потерями выпутаться из закрытого пути, если уж мы в него ввязались. Но, как вы уже поняли, бывают случаи, и их немало, когда закрытый путь можно превратить в открытый, и зависит это только от нас.

Если мы научимся правильно выявлять при помощи тест-систем, где нас ждет открытый путь, а где закрытый, если нам удастся с честью выпутаться из всех закрытых путей в нашей жизни, если нам удастся превратить в открытые все те закрытые пути, которые поддаются такому превращению, что получится? Правильно: в нашей жизни просто не останется закрытых путей!

И самое главное, что у вас не будет никакой нужды вступать на закрытые пути. Зачем? Они вам больше будут не нужны. Вы ведь всегда будете видеть перед собой наиболее благоприятные пути. А если вы видите перед собой ровную, гладкую, широкую и прямую трассу, зачем же петлять по грязной проселочной дороге с рытвинами и колдобинами? Люди оказываются в этих рытвинах и колдобинах просто потому, что не видят других, более благоприятных перспектив. Вы же теперь без труда такие перспективы можете обнаруживать. Представляете, сколько это даст вам преимуществ? Сколько это сэкономит вам жизненных сил, здоровья, энергии, времени, наконец? А потому — смело вперед, к новым возможностям, к удаче, благополучию, счастью! Вы заслужили это.

Итак, мы подошли к очень важному моменту — к навыкам превращения закрытых путей в открытые. Сосредоточьтесь. Будьте внимательны при чтении следующей главы и особенно — при изучении следующего шага. Он сулит вам очень серьезные перемены в вашей жизни.

Глава 7

Превращение закрытого пути в открытый

ПРИНЦИПЫ МЕТОДА

Вы уже, конечно, поняли, каковы сами причины возникновения и существования закрытого пути. Мы с вами уже не раз об этом говорили: причины эти лежат в сфере значений, которыми мы наделяем события на этом пути. И если эти значения в чем-то противоречат Мировым Течениям — путь закрывается. Наши несоответствующие значения становятся своеобразными палками, которые мы, сами того не зная, суем в колеса Мировых Течений. Но поскольку Мировые Течения значительно сильнее нас, то они даже не замечают на своем пути этих помех, а вот мы отлетаем от этих колес очень далеко, будучи отброшенными ими, в результате чего получаем сильные повреждения, как душевные, так и физические. Это происходит, повторяю, не потому, что Мировые Течения хотят нам противостоять или как-то нас наказать. Они просто идут своей дорогой и, как сильная бурная река, сметают на своем пути все помехи, даже не замечая этого. Поэтому не надо вставать на пути бурных рек!

Но как же мы своими ложными значениями можем встать на пути Мировых Течений? Немного мы уже говорили об этом, сейчас разберем подробнее.

Каждое значение, которым мы наделяем то или иное событие, факт, предмет, ситуацию, имеет два типа характеристик: количественные и качественные. Качественные характеристики подразделяются на положительные и отрицательные. К примеру: «Мне нужна эта квартира, чтобы жить в ней» — это положительная качественная характеристика, ведь в ней отражено и то назначение, которое мы придаем объекту, содержание (качество) предмета, и его необходимость для нас (положительная оценка). Или: «Я стал безработным, а значит, нищим» — это отрицательная качественная характеристика, когда факту безработицы, который сам по себе является нейтральным (а для кого-то, это, может быть, благо), человек сам придает качество нищеты, наделяя его отрицательной оценкой и негативным содержанием.

Количественная же характеристика — это то, насколько положительным или насколько отрицательным мы считаем для себя предмет, факт, событие. То есть все то, что для нас плохо, может быть плохо в разной степени: слегка нехорошо, не очень хорошо, плохо, очень плохо, ужасно или катастрофически. То же и с оценкой хорошо — она варьируется от просто хорошо до суперважно. Например: «Мне так нужна эта квартира, чтобы жить в ней, что если ее не будет, я умру». Это — явно завышенная положительная оценка, когда человек выводит свою квартиру на сверхзначимые уровни — такие, что сама жизнь по сравнению с этой квартирой оказывается менее значима. Другой вариант: «Мне нужна эта квартира, потому что я в ней живу, но это не самое главное, потому что всюду жизнь, и на самом деле не так важно, где жить».

Как вы думаете, у какого человека больше шансов потерять квартиру: у того, который превратил ее в сверхценность и вцепился в нее изо всех сил, боясь потерять, до такой степени, что даже собственную жизнь ценит ниже, или у того, кто отводит квартире в своей жизни подобающее ей место и не возводит в ранг сверхценностей? Правильно: конечно же, первый человек потеряет квартиру скорее. Почему? Да потому, что он возвеличил ее до уровня Мировых Течений и она стала препятствием на их пути.

На уровне Мировых Течений ведь важен не сам предмет, а то значение, которое мы ему придаем, то есть важно наше отношение к нему. Там, на уровне Мировых Течений — энергоинформационном уровне, — важно не материальное наполнение предмета, а его энергоинформационное наполнение. А энергоинформационное наполнение создаем мы сами своими мыслями, эмоциями, своим отношением, тем значением, которое мы придаем предмету. И если мы придаем предмету неподобающе завышенное значение, мы тем самым выстраиваем гигантскую энергоинформационную конструкцию этого значения, достигающую уровня Мировых Течений.

А вот если количественная сторона нашей оценки незначительна, то и для Мировых Течений этот предмет незаметен, ведь он не превышает земного уровня и просто не достает до уровня Мировых Течений. Что, в общем, и правильно — квартиры и прочие вещи нужны нам именно для нашей земной жизни, к Мировым Течениям все это никакого отношения не имеет, для них это абсолютно инородные вещи, которые и сметаются ими с пути. Придавая непомерно большое значение вещам и событиям нашей земной жизни, мы, сами того не зная, тем самым постоянно пытаемся внушить Мировым Течениям, что это очень важно и для них. Мировые Течения с такой постановкой вопроса, естественно, не соглашаются и отвергают все то, что для нас важно и что мы хотим сделать важным и для них.

Рис. 26.
Чем выше значение, тем вероятнее провал.
«Бодливой корове Бог рогов не дает»

Не забывайте, что все во Вселенной взаимосвязано! Человек и Мировые Течения тесно связаны, а особенно человек, вступивший на новую эволюционную ступень. Вследствие этой тесной связи все то, что вы считаете ценным для себя, вы пытаетесь сделать ценным и для Мировых Течений. А они не соглашаются с этим. В итоге Мировые Течения идут своим чередом, а вот вы терпите полный крах.

Если же мы снижаем значение, сами события и вещи от этого никак не меняются, они остаются теми же самыми! Нам не нужно менять сами события — надо лишь поменять отношение, то есть произвести кое-какие перемены в собственном мозгу. Только и всего. И тогда нужная нам последовательность событий сама собой выльется в нужный нам результат.

Мы с вами уже говорили о том, какими способами можно снижать значение тех или иных фактов и событий, чтобы легче преодолеть закрытые пути. Это и страховка, и заблаговременная готовность все потерять, и подготовка запасных путей. А теперь мы поговорим о том, как при помощи изменения значения тех или иных событий или вещей превращать закрытые пути в открытые. Ведь пути закрываются, как вы уже усвоили, именно из-за неподобающих значений, которые мы хотим приписать тем или иным событиям, достижениям, вещам.

Как для превращения закрытого пути в открытый лучше всего снизить значения событий и предметов на этом пути? Лучше всего для этой цели прибегнуть к методу «второй ноги».

Система ДЭИР
ступень V

Шаг 5а. Превращение закрытого пути в открытый: «вторая нога»

«Вторая нога» — это, в сущности, не что иное, как другое направление деятельности. Но в данном случае оно нужно нам не в качестве страховки и не в качестве запасного пути, а только в качестве своего рода противовеса, который поможет снять завышенную значимость нашей основной деятельности, той самой, что лежит на закрытом пути, который мы превращаем в открытый.

К примеру, вы действительно занимаетесь своим делом, находитесь на магистральном пути своего развития и самоосуществления, но путь, который изначально был открытым, начал закрываться. Почему он начал закрываться? Может быть, вам надо переходить на новый уровень развития и, соответственно, менять род деятельности? Нет вы уверены, что это не так, ведь вы еще далеко не полностью реализовались на этом пути. Значит, надо думать, в чем могут быть причины того, что путь начал закрываться. Скорее всего, они именно в том, что вы начали слишком зависеть от этого пути, придавать ему непомерно высокое значение и страшно бояться потерять то, чего вы уже достигли. Изменив это положение дел, вам удастся снова открыть путь. Как правило, ни самовнушение, ни попытки убедить себя тут пользы не приносят. Приносит пользу лишь реальное перераспределение, своего рода разбавление значимости путем распространения ее на что-то еще — на «вторую ногу».

«Вторая нога» бывает двух видов.

Вид первый. Это уход в полную противоположность.

Представьте себе соревнования по боксу, где каждый зритель может сделать ставку на того или иного боксера и выиграть либо проиграть какую-то сумму денег. К примеру, принимаются ставки один к пяти, то есть если боксер выиграет, вы получите сумму, в пять раз большую, чем поставили, а если проиграет, потеряете и то, что поставили. Так вот, вы можете поступить очень хитро. Вы можете поставить один рубль на этого боксера и еще один рубль — против него. Таким образом, если он проиграет, вы вернете свой рубль. А если он выиграет, вы получите пять рублей! Таким образом, вы ничего не теряете и не слишком сильно зависите от исхода поединка, и не тратите свои нервы понапрасну в процессе сражения на ринге, ведь вы знаете, что вы в любом случае ничего не потеряете.

То же самое можно применить к любому виду деятельности. Возьмем для примера такой абсурдный на первый взгляд случай, который тем не менее имел место в действительности. Молодая учительница работала в школе, в начальных классах. Работу свою любила, и дело это явно было ее, путь изначально был открытым. Но постепенно начались неприятности. Она почувствовала, что стала уставать, работать ей неинтересно, заела рутина, исчез даже намек на творчество, вслед за этим изменилось отношение детей, которые стали на ее уроках невнимательными и разболтанными, затем изменилось отношение администрации, которая начала делать ей замечания. Плюс низкая зарплата, плюс женский коллектив — все это способствовало депрессии, вместе с тем нарастал страх, что ее уволят, что она останется вообще без работы и без денег, она стала цепляться за эту работу, начала впадать в панику, и чем больше впадала, тем, казалось, ближе была вероятность увольнения.

Один из моих учеников подсказал ей возможный выход. И девушка решилась на отчаянный и, в общем-то, рискованный шаг. Вспомнив о полученной когда-то хореографической подготовке, она, не увольняясь из школы, устроилась на работу... танцовщицей ночного кабаре.

Там не знали, что она учительница, а в школе не знали, что она танцует. Танцевать приходилось не каждую ночь, поэтому физически это ее не слишком изматывало. Зато жизнь приобрела небывалую остроту и наполненность! Девушка ожила, повеселела, в класс прилетала как на крыльях, уроки заполнились творчеством, радостью, игрой. У нее появились деньги, она перестала зависеть от скудной учительской зарплаты и воспринимала теперь эту работу как способ самовыражения, относясь к ней легче и вместе с тем добиваясь больших успехов. Дети, учителя, администрация, родители — все теперь на нее буквально молились. Знали бы они, в чем секрет такой волшебной перемены! Но они, конечно, не знали и не могли узнать — это была страшная тайна. И эта некоторая рискованность ее положения только взбадривала ее, добавляя адреналина в кровь.

Уход в противоположное направление дает нам радость, творчество, дает нам новую жизнь, необыкновенно привлекательную, насыщенную и полноценную. Конечно, не обязательно так уж ходить по грани риска, как наша героиня. Можно выбрать вариант попроще. Если говорить о научных учреждениях, то это может быть сочетание карьерного роста в одном отделе с одновременным набором очков в конкурирующем отделе. Как это ни кажется невероятным на первый взгляд, но если бы вы только знали, сколько наших отечественных научных работников живут именно таким образом!

В общем, здесь возможны варианты. Что называется, твори, выдумывай, пробуй. Самое главное — не зацикливайтесь на какой-то одной роли в вашей жизни. Знайте: человек — существо многоликое. Пробуйте себя в разных областях, желательно совершенно противоположных. Вы откроете заново самого себя, те ваши грани, о которых вы и не подозревали, вы откроете для себя новые возможности и новую жизнь.

Вид второй. Это уход в другую плоскость жизни.

Если в предыдущем варианте мы рассмотрели уход как бы на параллельный путь, то есть в другую деятельность, то здесь мы будем говорить об уходе как бы в другое измерение, в другую плоскость.

К примеру, вас все устраивает в вашем основном виде деятельности, и у вас просто нет времени ни зарабатывать очки в параллельном отделе, ни танцевать в ночном кабаре. Но усталость накатывает, результаты снижаются, то есть появляются признаки, намекающие на то, что путь может закрыться. Снизьте значимость вашей деятельности перераспределением этой значимости на другую плоскость жизни — к примеру, заведите бурный служебный роман. Очень удобно: и от дела не сильно отвлекает, и одновременно мысли уже не только на работе зацикливаются, то есть значимость работы несколько снижается, за счет чего, соответственно, улучшаются результаты.

Помогает в таких случаях и то, что называют хобби. Вроде бы и толку от этого бессмысленного на первый взгляд занятия нет, и денег оно не приносит — а вот поди ж ты, снижает значимость основной работы и соответственно помогает там достигать больших результатов и зарабатывать больше денег. Люди ведь не случайно изобрели хобби — подсознательно они занимаются этим именно для снижения значимости основной деятельности! Теперь современная наука об энергоинформационных взаимодействиях может логически объяснить то, что люди раньше лишь ощущали на уровне подсознания.

Уж какое это будет хобби — решать вам. Кто-то займется дачным участком, кто-то коллекционированием марок или хоровым пением. В общем, ищите свои варианты, подойдите к этому вопросу творчески — и преуспеете.

Имейте в виду: это вовсе не является психотерапевтическим методом, как думают многие! Такой уход в другую плоскость жизни — это не средство успокоения нервов и приведения в норму психики. Нет! Ваша психика здесь абсолютно ни при чем. Просто когда вы снижаете значимость событий на закрытом пути посредством ухода в другую плоскость, закрытый путь начинает открываться сам собой и все, что с ним связано, налаживается именно само собой, а вовсе не потому, что вы укрепили нервы и психику.

Для успеха метода нужно только одно условие (и с этим может быть связан его недостаток для некоторых людей): необходимы немалые эмоциональные резервы. В самом деле, истощенный нервно и эмоционально человек вряд ли способен заводить романы или петь в хоре. Закрытый путь часто истощает эмоциональные силы. Но если вы четко выполняете приведенные выше правила поведения на закрытом пути, то вы уже владеете секретом сохранения эмоциональных резервов даже в самых непростых обстоятельствах. Да, правила поведения на закрытом пути — это не что иное, как способ наилучшим образом сохранить свои эмоции, нервы, психику на закрытом пути. Так что вы, дорогие читатели, можете не бояться эмоционального истощения. У вас есть все необходимые резервы для выполнения пятого шага пятой ступени ДЭИР.

В дополнение к приведенным вариантам очень полезно выполнить и следующий шаг.

Система ДЭИР
ступень V

Шаг 5б. Превращение закрытого пути в открытый: удача другого

Как вы уже хорошо усвоили, закрытый путь закрывается потому, что значимость событий для вас конфликтует со значимостью тех же событий для Мировых Течений. К примеру, ваше дальнейшее благополучие зависит от того, получите ли вы деньги. Для вас получение денег — это сверхважно.

На вашем закрытом пути неудачи, как правило, возникают именно в тех сферах, которые чрезвычайно важны для вас. Причем вы сами можете этого даже не осознавать. Например, вы можете не осознавать, что придаете деньгам непомерно большое значение, но если у вас ладится все, а вот получение денег все время срывается, значит, это именно так.

И из этой ситуации есть достаточно простой выход. Если вы пока не можете изменить отношение внутри себя — попробуйте просто снять с себя ответственность за ту сверхзначимую для вас сферу, в которой вы терпите неудачи, и переложить эти обязанности на другого человека, для которого эта сфера не так сверхзначима, как для вас. Передайте ему часть своих полномочий — и пусть он делает то, что у вас не получается.

К примеру, у вас своя фирма, и вам удается все, кроме общения с покупателями. И товар вы добываете, и за имиджем следите, а вот как доходит дело до получения денег, так все срывается. Ну и самоустранитесь из этой области. Найдите человека, у которого с деньгами нормальные отношения. Сделайте его своим заместителем. Пусть он ведет все дела, связанные с расчетами с покупателями.

Раз Природа вас не пускает в сферу, чрезвычайно раздутую вашим сознанием, и не противьтесь Природе, уйдите сами из этой сферы, добровольно, передайте ее другому, более удачливому и менее зацикленному на этой сфере. А там, глядишь, после такого добровольного самоустранения и ваши отношения с этой областью нормализуются, все значения встанут на свои, подобающие им места.

Тот же способ применим и в быту. Ну, допустим, никак не удается у вас ремонт, потому что чересчур вы дорожите красотой своей квартиры и очень боитесь что-то там испортить, буквально дрожите над каждой мелочью. Самоустранитесь. Отдайте ремонт на откуп родственникам или специалистам. Скажите себе: «Будь что будет» — и уезжайте куда-нибудь подальше, где вы вообще забудете об этом ремонте. Пусть делает его тот, кто не так зациклен на этой красоте и аккуратности. Контролировать процесс изредка можете (чтобы уж совсем не наворотили чего не следует), но не слишком вмешивайтесь. Вы же знаете: те, кому вы поручили этот ремонт, в этом смысле удачливее вас, а значит, у них в любом случае все получится лучше!

Вот, собственно, и все. Ремонт вам обеспечен, получение денег тоже обеспечено — ведь для этих других людей, которых вы привлекли себе в подмогу, значимость тех же событий не такая, как для вас, и они в отличие от вас в этом деле находятся на открытом пути. Значит, их успех, который в этом случае является и вашим успехом, не преминет вскоре порадовать вас. Если у вас при этом есть еще и «вторая нога» — тогда и вовсе все отлично. Дела пойдут как никогда! Главное — знать законы, знать, когда как себя повести и что сделать. Вы теперь вооружены этими знаниями, которые не позволят вам пропасть в любых жизненных коллизиях.

И все же то, о чем мы с вами только что говорили, — это своего рода «подпорки» и «костыли», позволяющие вам подняться на ноги и выбраться каким-то образом из закрытого пути на открытый. Но по открытому пути нельзя вечно передвигаться на костылях! Рано или поздно придется их отбросить и пойти своими ногами — прямо и уверенно, не прибегая к опорам на параллельные пути, на «вторые ноги» и удачу других людей. Нужно налаживать нормальные взаимоотношения с открытым путем, раз уж нам удалось сделать закрытый путь открытым.

В этом нам и поможет следующий шаг.

Система ДЭИР
Ступень V

Шаг 5в. Превращение закрытого пути в открытый: войти заново

Пройдя предыдущие шаги, вы, сами, может быть, о том не догадываясь, уже подготовили себя к тому, чтобы смело, уверенно и самостоятельно пойти по пути, который вновь стал для вас открытым. Ведь вы сэкономили эмоциональные резервы при помощи соблюдения правил поведения на закрытом пути. Вы снизили зависимость от этого пути при помощи «второй ноги». Вы сумели выправить самолет, кренившийся к земле, благодаря удаче другого. И самое главное — благодаря привлечению этого другого человека вы сняли значимость для себя самых ключевых и основных моментов вашего пути, которые вам обычно и портили все. Вы просто самоустранились из этих областей и тем самым снизили для себя их значимость. Это говорит о том, что теперь вы можете снова смело брать вожжи в свои руки и заново приступать к движению по пути, не боясь, что он вновь закроется.

Можете делать это с тем человеком, который помогал вам своей удачей, а можете и без него — с его помощью вы приобрели необходимый опыт, необходимые обороты, с его помощью вы сняли свою зависимость от ключевых областей, он, в свою очередь, получил опыт от вас. И теперь и вы, и он готовы к самостоятельному пути, к тому, чтобы больше не зависеть друг от друга.

Начните сначала. Пройдите снова все этапы вашего пути. Включите в свой опыт то направление, в котором работал привлеченный вами человек. Вырастите, доработайте все его достижения. Результат не замедлит сказаться — ведь у вас теперь есть для этого все.

Ну вот мы и прошли все шаги первого этапа пятой ступени ДЭИР. Мы прошли еще один очень важный этап нашего развития и становления. Мы постигаем законы Мира — высших его слоев и законы поведения в этом Мире. Что может быть прекраснее, величественнее, увлекательнее? Что может быть нужнее для вас сейчас — для людей, вышедших на новый эволюционный уровень? Жить в ладу с Мировыми Течениями — это значит жить в ладу со всем миром, и с высшим миром, и с миром человеческим, это значит жить в ладу с собой и непрерывно преуспевать. Людям мешает преуспевать только их неразвитость и отсутствие знаний. Но люди, как правило, и не хотят развиваться, не хотят получать знания. Как я рад, что вы — счастливое исключение! Как я рад, что вы пошли по пути эволюционного развития и приобретения знаний! Порадуйтесь и вы за себя. Большинство людей в отличие от вас даже не догадывается, что такое настоящая жизнь. Вы — знаете. А потому можете с полным правом отнести себя к числу немногих по-настоящему счастливых людей в этом мире.

Вы, конечно, уже во время чтения этой книги проверили на себе изложенные здесь методы — освоили и вход в режим полосатости, и обнаружение открытых и закрытых путей, и контроль за правильностью продвижения по открытому пути, и способы коррекции закрытых путей... Вы уже почувствовали, как много могут дать вам эти методы. Далее вы научитесь применять их в совершенстве, и получите еще большие результаты. Огромное количество людей уже смогли решить свои проблемы с помощью этих техник, так что они многократно проверены на практике.

Не буду перечислять — примеров очень много. Многие люди смогли правильно выбрать профессию при помощи этих методов — они действуют лучше любых психологических тестов по профориентации. Многие бизнесмены смогли наладить и спасти свой бизнес. Не говоря уже о том, сколько слушателей наших курсов избежали ненужной суеты — ненужных встреч, поездок, приобретений — и сколько на их пути оказалось нужных встреч, нужных поездок, нужных приобретений...

И вы тоже сможете в любой момент вашей жизни помочь себе, вы сможете помочь и своим родным и близким выкарабкаться из всевозможных передряг и достичь успеха.

Очень мощные методы даны в ваше распоряжение в этой книге.

Но это еще не все.

Впереди вас ждет освоение еще более мощных и еще более совершенных методов.

Не только видеть, но и влиять

Я от души поздравляю вас! Вы узнали то новое, что может совершенно преобразить вашу жизнь, позволив добиться практически всего, что только вам понадобится. Ваш разум и ваша сила позволят вам на все сто процентов использовать существующие возможности этого мира. Что теперь?

Мы имеем опыт навигации среди Мировых Течений. Мы имеем знания и силу, необходимые для успеха такой навигации. Теперь нужно совсем немного времени, несколько недель, чтобы новое знание прочно вошло в вашу картину мироздания. По прошествии этого периода вы начнете легко и просто лавировать среди стремнин вероятностных событий, добиваясь в жизни именно того, что нужно вам и вашим родным. Это уже более чем ощутимые плоды свободы, это — преимущества, которых не имеет в нашем мире практически никто.

Есть уровни, более высокие, чем уровень Мировых Течений. Там, собственно, и заложены высшие причины всего, что происходит в мире. Там, собственно, и творится мир.

Даже имея силу, знания и опыт, но не зная этих высших причин, мы остаемся бессильны перед ними. Мы никак не можем пока воздействовать на мир — можем лишь приспосабливаться к нему.

Мы с вами уже говорили о том, что есть реальность, уже явленная в мир, — и ее мы не можем изменить. Но есть реальность, еще не существующая на причинном уровне и в мир еще не явленная. И здесь мы можем изменить эти причины. А значит, можем изменить реальность.

Но для этого надо иметь доступ к этим высшим уровням, где заложены эти высшие причины.

На втором этапе пятой ступени ДЭИР вы узнаете, как это делать. Вы узнаете о правилах влияния на мир случайностей, окружающих нас, о том, как выбирать ключевые точки изменения и когда начинать это изменение. Вы узнаете о разнице между быстрыми и медленными мыслями и как ими пользоваться для воздействия на мир. Вы поймете, что означает чувство веры в его незамутненном мистическими концепциями значении и как оно способно расчищать для вас пространство дальних событий, расставляя декорации для вашего благополучия и благополучия ваших близких.

Это методы, позволяющие изменять реальность. Методы, которые выведут вас за грань любой конкуренции с другими людьми. Эти методы будут изложены во второй части данного пособия — в следующей мрей книге. Она должна уви-

Рис. 27.
Местоположение и смысл почек событий на побегах будущего нам дано предопределить

деть свет в первых месяцах будущего года. Но, впрочем, на курсах в Санкт-Петербурге и других городах сразу по выходе в свет этой книги будет преподаваться полная пятая ступень.

Вы также научитесь воспринимать то, что стоит над нашей реальностью, — Высшую Силу нашего мира. Вы сумеете взаимодействовать с ней. Ощутите сверхзадачу человека на данном этапе развития и познакомитесь с виртуальными полями значений Вселенной. Соприкоснетесь с судьбой мира.

Об этом — в следующей книге. До свидания!

Школа ДЭИР

Мы все вместе заняты серьезнейшим делом.

Мы столкнулись с огромными сложностями при организации школы, потому что огромная ответственность лежит на нас в подготовке преподавательского состава — иначе он, просто не понимая, с чем имеет дело, принесет сплошной вред, и это касается множества шарлатанов, которые пытаются зашибить деньгу, пользуясь доверчивостью наших людей.

Те, кто проводит занятия по углубленному освоению методик ДЭИР, тщательно отбираются и готовятся как с теоретической, так и с практической стороны. Более того, преподаватели непрерывно должны повышать свою квалификацию и не менее раза в год подтверждать ее. Поэтому внимательно прочтите списки преподавателей и организаторов ДЭИР. К нам очень много раз обращались люди, пострадавшие от действий шарлатанов, и этих людей в буквальном смысле приходилось собирать заново. Не слишком ли это большая плата за несделанный телефонный звонок?

Так, некто Никитин, практикующий в Москве, и некто в Новгороде (пока мы не выяснили кто) пытаются действовать как самозванцы — они не обучены методам ДЭИР. Ни в коем случае не поддавайтесь на их обман и не проходите обучение у них — то, чем они занимаются, не имеет ничего общего с очным курсом ДЭИР. Берегите свои деньги и здоровье. Будьте, пожалуйста, внимательнее! Каждый проверенный методист-преподаватель имеет Свидетельство преподавателя, выданное в Санкт-Петербурге, в котором подтверждена его квалификация. Не путайте с просто свидетельствами, выдаваемыми без права преподавания. Свидетельства слушателям выдаются обязательно, и они дают право на посещение методических занятий ДЭИР следующей ступени в любом городе и доступ в любой Клуб ДЭИР. В начале 2000 года они будут защищены голографическими этикетками. Занятия по первой ступени идут не менее 4 дней по 3 часа, на них обязательно выдаются объекты, дающие доступ к энергетическому резерву ДЭИР.

В настоящее время список организаторов ДЭИР непрерывно пополняется — так что, если вы встретились с новым человеком, просто уточните его компетентность по телефону (812)219-12-45 в головной организации Школы в Санкт-Петербурге.

ДЭИР не терпит шарлатанов!

Вы можете по тому же телефону получить ответ на интересующие вас вопросы по освоению методик ДЭИР или напишите нам по адресу: СПб, 198103, Лермонтовский пр., 44/46, а/я 123 (с прошлой книги).

Если вы решите пройти очное освоение методик — вам будут рады. Школа ДЭИР в настоящее время — это более 50 городов, в каждом из которых организован Клуб ДЭИР. Это методическая помощь, практическая помощь, новые знакомства и просто человеческое тепло. Это дополнительные семинары и новые знания. Это эксклюзивные методики, которые никак нельзя освоить по книге. Мы всегда поможем.

Силы вам и счастья!

Филиалы школы ДЭИР

Алма-Ата	(3272) 499293
Бишкек	(10996331) 428574, 412452, 433394
Брест	(0162) 433646
Владивосток	(4232) 520525, 253077
Волгодонск	(86392)75982
Волгоград	(8442) 372432
Владимир	(0922) 347177
Винница	(0432) 462140
Воронеж	(0732) 532041, 365413
Вологда	(8172) 231047
Гомель	(0232) 724075
Днепродзержинск	(05692) 66227
Днепропетровск	7780311
Донецк	(0622) 225668
Екатеринбург	(3432) 521425
Ижевск	(3412) 269260
Иркутск	(3952) 334662
Казань	(8432) 547925, 555016
Караганда	(3212) 522081
Киев	(044) 2445328
Киров	(8332) 646738, 670158
Кировоград	(0522) 231522, 565480, 241958, 214292
Кишинев	(1030732) 513358, 765170
Калининград	(0112) 450163
Кременчуг	(05366) 776762, 37238
Львов	(0322) 740361, 345352
Луганск	(0642) 528000, 521029, 957021
Минск	(017) 2306214
Москва	(095) 9465620
Мурманск	(8152) 377634
Нижний Новгород	(8312) 428425, п. 303030 аб.13019

Новороссийск	(8617) 230694
Новосибирск	(3832) 280475, 524059
Одесса, Николаев, Черкаск	(0482) 426605
Омск	(3812) 256318, 527968
Пермь	(3422) 128719
Павлоград	242438
Полтава	(0532) 525079
Псков	(8112) 176212, 537427
Петрозаводск	(8142) 740771
Петропавловск-Камчатский	(8231) 90264
Рига	(10371) 9130631, 2277522
Салехард	3457910
Самара	(8462) 502221
Саратов	(8452) 695788
Сочи	(8612) 620670, 306803
Сургут	(3462) 321870
Севастополь	(0692) 574765
Серов	(34315) 20891, 23986
Таллинн	(10372) 6355102
Тольятти	(8482) 205827, 345736
Томск	(382242) 70015
Тверь	(082) 330655
Усть-Каменогорск	(3232) 694518
Уфа	(3472) 349637
Хабаровск	(4212) 328482
Харьков	(0572) 357938
Чебоксары	(8352) 414606, 209994
Челябинск	(3512) 602548
Энергодар	(061139) 63210
Ярославль	(0852) 22786

Центр обучения по системе ДЭИР в Санкт-Петербурге: (812) 219-1245.

Содержание

**ДЛЯ ОПТОВЫХ ПОКУПАТЕЛЕЙ
ТЕЛ./ФАКС ОТДЕЛА СБЫТА (812) 114-44-70**

**РЕГИОНАЛЬНЫЕ ПРЕДСТАВИТЕЛИ
ИЗДАТЕЛЬСТВА «НЕВСКИЙ ПРОСПЕКТ»**

Санкт-Петербург	«Диля» (812) 314-0561
Москва	«Диля» (095) 261-7396
	«Атберг» (095) 973-0810, 973-0086
	«Триэрс» (095) 157-4395, 273-1182
	«Столица-сервис» (095) 916-1882, 917-7070
Екатеринбург	«Валео +» (3432) 420775
Новосибирск	«Топ-Книга» (3832) 36-1026, 36-1027
Ростов	«Фаэтон-Пресс» (8632) 65-6164
Киев	«Орфей-1»:
	Магазин ул. Кр. Казаков, 6, (044) 418-8473
	Оптовая торговля (044) 464-4945, 464-4970
Уфа	«Азия» (3472) 50-3900
Хабаровск	«Мирс» (4212) 22-7124
Казань	«Таис» (8432) 76-3455
Челябинск	«Интерсервис» (3512) 66-6295, 66-3545

**Верищагин Д. С.
УВЕРЕННОСТЬ**

*Система дальнейшего энергоинформационного развития
V ступень*

Главный редактор *М. В. Смирнова*
Художественный редактор *Р. И. Гриневский*

ЛР № 066423 от 19 марта 1999 г.
Подписано в печать 11.07.2000. Гарнитура NewtonC.
Формат 84×108 $^1/_{32}$. Объем 6 печ. л. Печать высокая.
Доп. тираж 15 000 экз. Заказ № 1157.

*Налоговая льгота — общероссийский классификатор продукции
ОК-005-93, том 2 — 953000.*

Издательство «Невский проспект».
Адрес для писем: 190068, СПб., а/я 625.
Тел. (812) 114-47-36; тел./факс отдела сбыта (812) 114-44-70.

Отпечатано с фотоформ в ГПП «Печатный Двор»
Министерства РФ по делам печати, телерадиовещания
и средств массовых коммуникаций.
197110, Санкт-Петербург, Чкаловский пр., 15.

УВАЖАЕМЫЕ ЧИТАТЕЛИ!

Вы можете получить оздоровительную литературу издательства «Невский проспект» наложенным платежом, прислав заявку по адресу: **199397, Санкт-Петербург, а/я 196, ЗАО «Грифъ»; тел. (812) 325-8214.** Не забудьте указать свой почтовый адрес, фамилию и имя. Указанные цены не включают расходы по пересылке.

Г. П. Малахов «Оздоровительные советы на каждый день 2001 года»	20-00
Г. П. Малахов «Оздоровительные советы для женщин на каждый день 2001 года»	18-00

Серия «Истоки здоровья» (мягк. обл.)

• Анастасия Семенова «Магия родного дома»	13-00
• Анастасия Семенова «Целительная сила синего йода»	13-00
• Анастасия Семенова «Целительный яблочный уксус»	13-00
• Анастасия Семенова «Лечебные настойки»	13-00
• Анастасия Семенова «Лечение теплом»	13-00
• Анастасия Семенова «Дом и его тайные силы»	13-00
• Анастасия Семенова «Дом — зеркало судьбы»	13-00
• Анастасия Семенова «Секреты домостроя»	13-00
• Анастасия Семенова «Вампиры и доноры нашего дома»	13-00
• Анастасия Семенова «Карма вашего дома»	13-00
• Анастасия Семенова «Очищение дома»	13-00
• Анастасия Семенова «Дыхание вашего дома»	13-00
• Анастасия Семенова «Семь шагов к счастью»	13-00
• Анастасия Семенова «Чудо-целитель алоэ»	13-00
• А. Семенова, О. Шувалова «Лечение маслами»	13-00
• Лободин В. Т. «Формула здоровья»	13-00
• Лободин В. Т. «Пять элементов здоровья»	13-00
• А. Семенова, О. Шувалова «Амулеты и талисманы»	13-00
• А. Семенова, О. Шувалова «Лунный календарь в повседневной жизни»	13-00
• Ю. Доронина «Лечимся молочными продуктами»	13-00
• Ю. Доронина «Растения силы и здоровья»	13-00
• Ю. Доронина «Целебная соя»	13-00
• Ю. Доронина «Шунгит — камень-спаситель»	13-00
• Е. Белова «Золотые травы России»	13-00
• Е. Белова «В поисках магической силы»	13-00
• Эль Тат «Карма мужчины. Карма женщины» *Часть первая*	13-00
• Эль Тат «Карма мужчины. Карма женщины» *Часть вторая*	13-00
• О. Шувалова «Судьба и карма: как обойти подводные камни жизни»	13-00
• О. Шувалова «Луна и тайны нашей судьбы»	13-00